ÉDITRICE: Caty Bérubé

DIRECTRICE GÉNÉRALE: Julie Doddridge

CHEF D'ÉQUIPE PRODUCTION ÉDITORIALE: Isabelle Roy

CHEF D'ÉQUIPE PRODUCTION GRAPHIQUE: Marie-Christine Langlois

CHEFS CUISINIERS: Benoit Boudreau et Richard Houde.

CHARGÉE DE CONTENU CULINAIRE: Catherine Pelletier

RECHERCHISTE CULINAIRE: Gabrielle Germain (par intérim)

AUTEURS: Caty Bérubé, Benoit Boudreau et Richard Houde.

RÉDACTRICES: Fernanda Machado Gonçalves, Marie-Pier Marceau
et Raphaële St-Laurent Pelletier.

RÉVISEURES: Marilou Cloutier et Corinne Dallain.

ASSISTANTES À LA PRODUCTION: Edmonde Barry et Nancy Morel.

CONCEPTRICES GRAPHIQUES: Annie Gauthier, Sonia Barbeau, Karyne Ouellet
et Josée Poulin.

SPÉCIALISTE EN TRAITEMENT D'IMAGES ET CALIBRATION PHOTO:
Yves Vaillancourt

PHOTOGRAPHES: Mélanie Blais, Tony Davidson,
Rémy Germain et Marie-Ève Lévesque.

PHOTOGRAPHE ET VIDÉASTE: Francis Gauthier

STYLISTE CULINAIRE: Christine Morin

ASSISTANTE STYLISTE: Carly Harvey

COLLABORATEURS: Sabrina Belzil, Louise Bouchard, Ève Godin, Martin Houde,
Jessie Marcoux, Patricia Tremblay et Perfection Design communication.

DIRECTEUR DE LA DISTRIBUTION: Marcel Bernatchez

DISTRIBUTION: Éditions Pratico-Pratiques et Messageries ADP.

IMPRESSION: TC Interglobe

DÉPÔT LÉGAL: 3e trimestre 2017
Bibliothèque et Archives nationales du Québec
Bibliothèque et Archives Canada
ISBN 978-2-89658-809-1

Gouvernement du Québec - Programme de crédit d'impôt
pour l'édition de livres - Gestion SODEC

1685, boulevard Talbot, Québec (QC) G2N 0C6
Tél.: 418 877-0259
Sans frais: 1 866 882-0091
Téléc.: 418 780-1716
www.pratico-pratiques.com

Commentaires et suggestions: info@pratico-pratiques.com

SOUPERS

à l'avance en

5 INGRÉDIENTS

15 MINUTES

SOUPERS

à l'avance en 5 ingrédients 15 minutes

MINUTES

135 repas
À PRÉPARER, CONGELER, CUIRE ET SAVOURER

Pratico pratiques

Table des matières

Repas à l'avance et sans tracas
pour soirs de semaine pressés

Je ne suis certainement pas la seule à manquer de temps en semaine. Avec les activités des enfants, les miennes et celles de mon conjoint, pas facile de trouver un moment pour cuisiner un repas qui se prépare rapidement... et qui plaira à toute la famille! Ce manque de temps nous pousse parfois à nous tourner vers des mets préparés qui, souvent, ne sont pas très sains.

Si, comme moi, vous avez le souci de bien manger même lorsque le temps manque, ce livre de la collection *5 ingrédients - 15 minutes* est pour vous! Vous y trouverez des trucs pour maximiser votre temps en cuisine et, surtout, pour toujours avoir sous la main un repas savoureux à servir. Étant moi-même une assidue du congélateur (et de tout ce qu'il peut contenir!), je mise sur lui pour conserver mes recettes faites à l'avance. Sauces, viandes marinées et légumes parés – conservés dans des sacs ou dans des plats de congélation – n'attendent qu'à être réchauffés!

Vous trouverez dans ce livre des solutions repas variées et prêtes en un tournemain. Toute la famille en raffolera, c'est promis!

Fini les soirées de semaine où le temps manque pour cuisiner!

Caty

25 astuces
pour cuisiner sans stresser

Le ménage, le lavage, les pratiques de hockey, les cours de natation, l'entraînement... En semaine, difficile de prendre le temps de cuisiner. Et pourtant, il n'y a rien de tel qu'un souper fait maison pour décompresser de sa journée et passer un bon moment en famille!

Alors, comment s'assurer de manger de savoureux repas tous les jours malgré le temps qui manque?

Un menu de semaine bien pensé, c'est un bon début! En prévoyant ce que l'on va manger pendant la semaine, on peut mieux s'organiser et, surtout, tailler et/ou cuire quelques aliments à l'avance. Il devient aussi plus facile de prévoir cuisiner des plats qui utilisent en partie les mêmes ingrédients: en plus de permettre une économie de temps, cela vous permet d'éviter de gaspiller vos aliments!

Des actuces pour une organisation sans faille, des techniques de conservation optimales et même des idées pour décupler l'efficacité... Trouvez tout ce qu'il faut pour rendre la cuisine sans stress enfin accessible!

1 Planifiez

Avant même de passer à l'épicerie, le menu de la semaine doit être prévu. Quelles recettes s'y trouveront? Quels ingrédients ont-elles en commun? Qu'avez-vous déjà à la maison? Ce sont les questions auxquelles une réponse est nécessaire pour maximiser le temps au supermarché et dans la cuisine!

Gardez une copie de votre menu à la vue: elle servira d'aide-mémoire et vous permettra un max d'efficacité!

2 Doublez et congelez

Pour un accompagnement toujours prêt, on double – ou même triple! – la quantité de riz, de quinoa ou de couscous à cuire. Congelé, le surplus se conservera plus longtemps. On pourra ensuite le faire réchauffer au micro-ondes ou dans la poêle au moment de le manger.

3 Une longueur d'avance

Étirez de quelques minutes le moment accordé au rangement de l'épicerie et profitez-en pour apprêter les fruits, les légumes et les viandes qui peuvent l'être. Coupez vos crudités et vos fruits, taillez les légumes nécessaires pour vos recettes de la semaine, parez et faites mariner vos viandes pour prendre de l'avance, etc.

4 Fromage râpé express

Réfrigéré ou congelé dans un sac hermétique, le fromage déjà râpé sera toujours prêt pour de délicieux plats gratinés, des fajitas, des pâtes et autres délicieux mets!

5 On aime les restants !

Au moment d'élaborer votre menu de la semaine, pensez aux restants réutilisables! En faisant cuire une plus grande quantité de pâtes, par exemple, le surplus pourra être transformé en une délicieuse salade de pâtes pour un lunch. Et les poitrines de poulet cuites seront idéales dans les sandwichs ou les sautés!

Photo riz : Shutterstock.

6 Poireaux rapido

Parer les poireaux peut être un peu long… mais ne les délaissez pas pour autant ! Lavez-en plusieurs, puis tranchez-les en rondelles. Déposez-les ensuite au congélateur dans de petits sacs de congélation. Ils s'ajouteront ainsi rapido aux sautés, aux soupes et aux mijotés !

7 Aromates sous la patte

Lavez et parez vos aromates à l'avance. Répartissez-les dans les compartiments d'un bac à glaçons, puis ajoutez-y un peu d'huile, de beurre ou d'eau. Fines herbes fraîches, ail, citronnelle et autres aromates s'ajouteront encore mieux à vos recettes !

8 Cuisine de nuit

Faites saisir la viande en soirée, puis assemblez la recette dans la mijoteuse avant de vous coucher. Votre repas du soir suivant cuira pendant la nuit ! Le matin venu, laissez-le tiédir pendant que vous déjeunez, puis rangez-le au frigo. Il ne restera qu'à réchauffer le repas à l'heure du soupe !

9 Gingembre déjà râpé

Ayez toujours à portée de main du gingembre paré en le râpant à l'avance. Congelez-le ensuite dans les compartiments d'un bac à glaçons : vous obtiendrez ainsi des portions d'environ 15 ml (1 c. à soupe), soit la quantité parfaite pour les recettes pour quatre personnes !

Œufs cuits dur à la rescousse 10

Cuits dur, les œufs seront à leur place dans les sandwichs, les salades ou seuls, à la collation. Faites-en donc des réserves pour vous dépanner ! Non écalés, ils se conserveront au frigo jusqu'à une semaine dans un contenant hermétique.

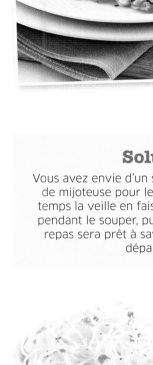

11
Popotez !

Les jours pluvieux sont parfaits pour la popote. Profitez-en pour préparer quelques mets qui se congèlent bien (lasagne, chili, ragoût de boulettes, etc.). Ils sont idéaux pour dépanner les soirs pressés !

13
Gelés, les fruits !

Ayez sous la main une réserve de fruits congelés à ajouter aux smoothies, muffins, croustades et gâteaux renversés. Il suffit de les laver, de les parer et de les faire congeler sur une plaque à biscuits au préalable pour éviter qu'ils forment des amas en gelant. Vous pourrez ensuite les séparer en différents mélanges dans des sacs hermétiques ou dans des contenants pour la congélation.

12
Solution mijotés

Vous avez envie d'un savoureux mijoté, mais vous n'avez pas de mijoteuse pour le cuire pendant la journée ? Gagnez du temps la veille en faisant cuire votre mijoté sur la cuisinière pendant le souper, puis conservez-le au réfrigérateur. Votre repas sera prêt à savourer le soir suivant ou pourra vous dépanner en cas de besoin.

14
Nouilles de riz instantanées

Idéales pour les sautés et les soupes à l'asiatique, les nouilles de riz sont un *must* à avoir dans le garde-manger. En les hydratant dans un bol d'eau que vous placerez au frigo pendant la journée, vous n'aurez plus qu'à les égoutter, puis à les ajouter à vos recettes le soir venu.

N'oubliez pas les potages ! # 15

Ils sont savoureux et réconfortants, en plus d'être faciles à préparer : les potages ne sont pas à négliger pour des repas express ! Tranchez en cubes les pelures et les pieds de vos légumes chaque fois que vous en utilisez, puis conservez-les au congélo dans un sac de congélation. Ils seront parfaits pour concocter un potage aux légumes des plus délicieux !

16 Jus d'agrumes

Si vos citrons et limes commencent à s'assécher ou si vous voulez simplement faire des réserves de jus d'agrumes, c'est simple! Il suffit de presser les fruits et de répartir leur jus dans les compartiments d'un bac à glaçons. En les faisant geler, vous aurez toujours à portée de main des portions de jus d'agrumes frais. Chaque glaçon équivaut à environ 15 ml (1 c. à soupe) de jus.

17 Tranchez!

Rien de tel que d'avoir les bons outils pour optimiser la préparation des repas! Idéalement, munissez-vous d'un couteau de chef (lame de 20 cm – 8 po), de quatre à cinq couteaux d'office et d'un couteau dentelé pour trancher les tomates. Pensez à les aiguiser régulièrement: vous pourriez ainsi augmenter jusqu'à dix fois votre efficacité en cuisine!

18 Économisez vos pas

Sortez tous les ingrédients nécessaires avant de commencer la préparation d'une recette pour maximiser votre temps et éviter les va-et-vient entre la cuisinière et le frigo. En rapprochant la poubelle ou en jetant toutes les retailles dans un grand bol, vous économiserez également quelques pas!

19 Misez sur les « touskis »

Les soirées pressées, les « touskis » sauvent la vie! Pour toujours pouvoir concocter un gratin réconfortant ou une pizza savoureuse avec vos restants, soyez bien préparé. Râpez un peu de fromage à pâte dure (cheddar, mozzarella, parmesan, etc.) et conservez-le au congélateur. Pensez également à y garder quelques pains naan, des tortillas ou une boule de pâte à pizza pour un repas vite fait dont la famille raffolera!

21 Aliments sauve-la-vie

Pour les soirs où le temps manque, on opte pour des fruits et des légumes surgelés ainsi que pour des viandes déjà marinées. Les fines herbes en tube, les mélanges de fromages râpés et les vinaigrettes du commerce ajouteront également une tonne de saveur à vos recettes en moins de deux!

20 Opération rangement

Prenez le temps de ramasser la cuisine. Comptoirs, armoires, tiroirs, frigo et congélateur dégagés et bien rangés vous feront gagner en efficacité!

22 En mode micro-ondes

Légumes, poisson, omelettes et même pâtes peuvent être cuits en seulement quelques minutes au micro-ondes. Il suffit d'avoir suffisamment de liquide (eau ou bouillon) et d'utiliser les bons contenants et accessoires (plats en silicone, pellicule plastique, sac de cuisson à la vapeur, etc.).

23 Eau bouillante en moins de deux

Chauffez l'eau pour les pâtes dans la bouilloire pendant que vous préparez le reste du repas. Elle y atteindra le point d'ébullition plus rapidement que dans une casserole! Vous pourrez ensuite transférer l'eau bouillante dans une casserole sur un rond chaud avant d'y ajouter les pâtes.

24 Bien équipé

Un robot culinaire, un presse-ail, un presse-agrumes, un économe, un coupe-œuf, un hachoir et une mandoline: voilà les outils à avoir pour cuisiner efficacement! Il vous en manque quelques-uns? Dressez une liste et procurez-vous ces accessoires au fur et à mesure de vos besoins. Mine de rien, ils vous feront gagner une tonne de temps!

25 Temps de conservation

Afin de mieux planifier les repas de la semaine et de ne rien gaspiller, mieux vaut tenir compte de la durée de conservation des aliments! Voici un petit guide de conservation pour les aliments les plus courants.

Aliments	Réfrigérateur	Congélateur
Bœuf (steak et rôtis)	de 3 à 5 jours	de 6 à 12 mois
Fines herbes fraîches	4 jours	1 an
Fromage à pâte ferme	5 semaines	6 mois
Petits fruits (fraises, framboises, etc.)	de 3 à 4 jours	1 an
Poisson gras (saumon, truite, etc.)	de 1 à 2 jours	2 mois
Poisson maigre (morue, tilapia, etc.)	de 2 à 3 jours	6 mois
Porc (côtelettes, rôtis)	de 3 à 5 jours	de 4 à 6 mois
Produits de boulangerie (pains, gâteaux, etc.)	7 jours	3 mois
Viande cuite avec sauce	de 3 à 4 jours	4 mois
Viande hachée ou en cubes	de 1 à 2 jours	de 3 à 4 mois
Volaille cuite avec sauce	de 1 à 2 jours	de 1 à 3 mois
Tofu	de 1 à 2 semaines	de 1 à 2 mois

1 base,
3 idées
de repas

1 base, 3 idées de repas

Une recette qui se prépare simplement et rapidement, c'est bien. Mais une recette simple et rapide qui peut se décliner en plusieurs plats à succès, c'est encore mieux ! Avant de piger dans nos pratiques recettes, voyez nos astuces pour gagner encore plus de temps en cuisine !

Par Marie-Pier Marceau

Les restants : des amis incompris

Viande, volaille et poisson déjà cuits et assaisonnés, restants de pâtes et riz cuits, fonds de pots de sauce… ce ne sont pas nos ennemis ! Bien au contraire, quand on y pense bien, ils peuvent devenir de savoureux repas inespérés. Osez réinventer les restants, les utiliser en mode « touski » et profiter de cette nourriture que vous avez déjà cuisinée !

Étapes faites à l'avance

Préparer certaines parties d'une recette en prévision d'une soirée pressée, c'est une astuce sauve-la-vie ! Et qu'est-ce qui peut être préparé à l'avance ? Les sauces et les vinaigrettes, bien entendu, mais on peut aussi faire cuire le riz, les pâtes et le quinoa à l'avance. On peut également tailler les légumes et râper le fromage de un à deux jours avant la préparation du repas. D'autres préparations peuvent aussi être réfrigérées ou congelées pendant quelques jours ou quelques semaines, comme la pâte à tarte crue et la pâte à crêpes.

Boulettes toujours prêtes

Les boulettes de viande sont idéales dans les sauces ou en brochettes, mais quel tracas de les préparer chaque fois ! La solution est simple : augmentez les quantités de la recette de boulettes et façonnez-en davantage en une seule fois. Faites-les cuire au four sur une plaque de cuisson ou dans la poêle. Laissez ensuite les boulettes tiédir, puis refroidir au réfrigérateur. Enfin, faites congeler les boulettes sur une plaque de cuisson pour éviter qu'elles ne collent ensemble. Une fois gelées, elles pourront être déposées dans des sacs ou des plats de congélation afin que vous en ayez toujours sous la main !

Aliments polyvalents

Avoir des réserves bien garnies, c'est la clé pour des repas préparés sans stress. On opte donc pour des ingrédients qui sauront s'intégrer à plusieurs types de recettes:

- **Au frigo:** on garde des œufs, des viandes froides, des lanières de poulet cuites et un mélange de laitues.

- **Au congélo:** on s'assure de toujours avoir des fruits et légumes surgelés, des filets de poisson, des pâtes farcies et du pain.

- **Au garde-manger:** on fait le plein de conserves (légumineuses, thon, etc,) de pâtes alimentaires, de bouillons et de noix.

Congeler en portions

Plutôt que de congeler votre plat dans un seul contenant ou sac hermétique, divisez-le en portions! Ainsi, que vous soyez en solo, en duo, ou en famille, vous pourrez prendre uniquement le nombre de portions dont vous avez besoin. Par exemple, si vous faites du porc effiloché, utilisez un moule à muffins pour le congeler en portions qui seront toujours prêtes à rehausser les sandwichs, les salades ou le nacho du vendredi!

Conservation optimale

Si vous choisissez de préparer vos recettes quelques jours, voire quelques semaines à l'avance, assurez-vous de bien les conserver. L'allié de choix pour ce faire: le congélateur. Choisissez des plats conçus pour la congélation – ils seront marqués de l'icône d'un flocon de neige – et faites attention de ne pas trop les remplir étant donné que les aliments prendront de l'expansion en gelant. Vous pourrez ainsi conserver vos recettes plusieurs semaines de plus qu'au réfrigérateur!

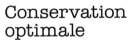

Apprenez-en davantage sur la congélation aux pages 62 et 182.

Pain blanc
3 tranches
coupées en cubes

Lait 2 %
125 ml (½ tasse)

Bœuf haché ③
mi-maigre
300 g (⅔ de lb)

Porc haché ④
300 g (⅔ de lb)

1 œuf ⑤

PRÉVOIR AUSSI :
➤ 1 **oignon**
haché

RECETTE DE BASE

Boulettes de viande

Préparation : **15 minutes** • Cuisson : **10 minutes** • Quantité : **4 portions**

Préparation

Dans un bol, mélanger les cubes de pain avec le lait. Laisser imbiber 5 minutes.

Ajouter la viande hachée, l'œuf et l'oignon dans le bol. Mélanger jusqu'à l'obtention d'une préparation homogène.

Façonner 24 boulettes en utilisant environ 45 ml (3 c. à soupe) de préparation pour chacune d'elles.

Dans une poêle, chauffer un peu d'huile d'olive à feu moyen. Cuire les boulettes de 10 à 12 minutes en remuant quelques fois, jusqu'à ce que l'intérieur des boulettes ait perdu sa teinte rosée. Retirer du feu et laisser tiédir.

Transférer les boulettes dans un contenant hermétique et congeler.

PAR PORTION	
Calories	468
Protéines	33 g
Matières grasses	30 g
Glucides	15 g
Fibres	1 g
Fer	3 mg
Calcium	97 mg
Sodium	256 mg

Secret de chef

Réussir de belles boulettes

Voici trois trucs simples qui permettent de former facilement des boulettes qui se tiennent bien :

• Mouillez ou huilez vos mains avant de façonner les boulettes afin d'empêcher la viande d'y coller.

• Si vos boulettes ont tendance à se défaire, ajoutez de la chapelure ou quelques flocons d'avoine au mélange.

• L'œuf est un ingrédient clé à ne pas oublier, car il sert d'agent liant.

Boulettes de viande ①
1 recette (page 20)

Beurre ②
45 ml (3 c. à soupe)

Bouillon de bœuf ③
réduit en sodium
375 ml (1 ½ tasse)

Sauce soya ④
réduite en sodium
45 ml (3 c. à soupe)

Crème à cuisson 15 % ⑤
125 ml (½ tasse)

FACULTATIF :
➤ **Moutarde de Dijon**
30 ml (2 c. à soupe)

➤ **Origan**
haché
30 ml (2 c. à soupe)

PRÉVOIR AUSSI :
➤ **Farine**
45 ml (3 c. à soupe)

Boulettes suédoises

Préparation : **15 minutes** • Cuisson : **6 minutes** • Quantité : **4 portions**

Préparation

La veille du repas, faire décongeler les boulettes au réfrigérateur.

Au moment du repas, faire fondre le beurre à feu moyen dans une casserole. Saupoudrer de farine et cuire 30 secondes en remuant sans laisser colorer la farine.

Ajouter le bouillon, la sauce soya et, si désiré, la moutarde de Dijon. Porter à ébullition en fouettant.

Ajouter la crème. Saler, poivrer et remuer. Ajouter les boulettes et laisser mijoter de 6 à 8 minutes.

Si désiré, parsemer d'origan au moment de servir.

PAR PORTION	
Calories	648
Protéines	37 g
Matières grasses	45 g
Glucides	23 g
Fibres	1 g
Fer	4 mg
Calcium	134 mg
Sodium	1 162 mg

Idée pour accompagner

Purée de patates douces persillées

Peler, puis couper en cubes 4 patates douces et 1 pomme de terre. Déposer dans une casserole et couvrir d'eau froide salée. Porter à ébullition, puis cuire 15 minutes, jusqu'à tendreté. Égoutter et réduire en purée avec 80 ml (⅓ de tasse) de lait, 15 ml (1 c. à soupe) de beurre et 45 ml (3 c. à soupe) de persil haché. Saler et poivrer.

Boulettes de viande ➊
1 recette (page 20)

1 oignon ➋
haché

Ail ➌
haché
15 ml (1 c. à soupe)

Sauce tomate ➍
625 ml (2 ½ tasses)

Parmesan ➎
125 ml (½ tasse)
de copeaux

Boulettes à la sauce tomate

Préparation : **15 minutes** • Cuisson : **16 minutes** • Quantité : **4 portions**

Préparation

La veille du repas, faire décongeler les boulettes au réfrigérateur.

Au moment du repas, chauffer un peu d'huile d'olive à feu moyen dans une casserole. Cuire l'oignon et l'ail 1 minute.

Ajouter la sauce tomate et porter à ébullition. Laisser mijoter de 10 à 12 minutes en remuant fréquemment.

Ajouter les boulettes et prolonger la cuisson de 5 à 8 minutes.

Au moment de servir, garnir de copeaux de parmesan.

PAR PORTION	
Calories	614
Protéines	41 g
Matières grasses	37 g
Glucides	29 g
Fibres	4 g
Fer	5 mg
Calcium	278 mg
Sodium	1 307 mg

Idée pour accompagner

Croûtons à la fleur d'ail

Dans une petite casserole, faire fondre 45 ml (3 c. à soupe) de beurre avec 15 ml (1 c. à soupe) de fleur d'ail dans l'huile à feu doux. Badigeonner 12 tranches de pain baguette avec le beurre à la fleur d'ail. Déposer les croûtons sur une plaque de cuisson. Faire dorer au four 2 minutes à la position « gril » (*broil*).

Boulettes de viande ①
1 recette (page 20)

Miel ②
45 ml (3 c. à soupe)

Sauce hoisin ③
45 ml (3 c. à soupe)

Sauce soya ④
réduite en sodium
60 ml (¼ de tasse)

Mélange de légumes pour salade de chou ⑤
500 ml (2 tasses)

PRÉVOIR AUSSI :
➤ **Vinaigre de riz**
45 ml (3 c. à soupe)

FACULTATIF :
➤ **Sriracha**
5 ml (1 c. à thé)

Boulettes à la coréenne

Préparation : **15 minutes** • Cuisson : **8 minutes** • Quantité : **4 portions**

Préparation

La veille du repas, faire décongeler les boulettes au réfrigérateur.

Au moment du repas, porter à ébullition le miel avec la sauce hoisin, la sauce soya, le vinaigre de riz et, si désiré, la sriracha dans une poêle.

Ajouter les boulettes et couvrir. Laisser mijoter de 5 à 8 minutes à feu doux.

Ajouter le mélange de légumes pour salade de chou et remuer. Couvrir et prolonger la cuisson de 3 à 4 minutes.

PAR PORTION	
Calories	569
Protéines	35 g
Matières grasses	30 g
Glucides	39 g
Fibres	3 g
Fer	6 mg
Calcium	127 mg
Sodium	1 038 mg

Idée pour accompagner

Riz basmati lime et coriandre

Rincer 250 ml (1 tasse) de riz basmati à l'eau froide. Déposer dans une casserole avec 500 ml (2 tasses) d'eau froide, 15 ml (1 c. à soupe) de zestes de lime et 1 oignon haché. Saler et poivrer. Porter à ébullition à feu moyen. Couvrir et cuire de 18 à 20 minutes à feu doux-moyen. Au moment de servir, incorporer 45 ml (3 c. à soupe) de coriandre émincée.

Bouillon de poulet ❶
180 ml (¾ de tasse)

Cassonade ❷
30 ml (2 c. à soupe)

Poudre de chili ❸
15 ml (1 c. à soupe)

Paprika fumé ❹
15 ml (1 c. à soupe)

Porc ❺
1,5 kg (3 ⅓ lb) de rôti
d'épaule avec os

PRÉVOIR AUSSI :
➤ 1 **oignon**
haché

RECETTE DE BASE

Porc effiloché

Préparation : **15 minutes** • Cuisson à faible intensité : **7 heures**
Cuisson à intensité élevée : **30 minutes** • Quantité : **4 portions**

Préparation

Dans la mijoteuse, mélanger le bouillon avec la cassonade, la poudre de chili, le paprika fumé et l'oignon.
Saler et poivrer.

Retirer l'excédent de gras de l'épaule de porc.

Déposer la viande dans la mijoteuse, puis la retourner
plusieurs fois afin de bien l'enrober de sauce. Couvrir
et cuire à faible intensité de 7 à 8 heures, jusqu'à ce
que la viande se défasse facilement à la fourchette.

Retirer la viande de la mijoteuse. Effilocher la viande
à l'aide de deux fourchettes.

Remettre la viande dans la mijoteuse et prolonger
la cuisson de 30 minutes à intensité élevée.

Transférer le porc effiloché et le jus de cuisson dans
des contenants hermétiques. Laisser tiédir, puis refroidir
au réfrigérateur. Placer au congélateur.

PAR PORTION	
Calories	342
Protéines	43 g
Matières grasses	14 g
Glucides	11 g
Fibres	2 g
Fer	3 mg
Calcium	35 mg
Sodium	367 mg

À découvrir

Le porc effiloché

Le porc effiloché (*pulled pork*), mets traditionnel du
sud des États-Unis, fait fureur au Québec depuis
quelque temps. Souvent présenté en sandwich, mais
aussi intégré dans les poutines et les *mac'n cheese*
des restos de style pub, le porc effiloché nous fait
craquer en raison de sa chair tendre et juteuse qui
cuit lentement. De quoi combler toute la maisonnée !

Porc effiloché ①
1 recette (page 28)

4 pains à hamburger ②

1 avocat ③
coupé en quartiers

Salade de chou crémeuse ④
250 ml (1 tasse)

Sauce barbecue ⑤
125 ml (½ tasse)

Burger au porc effiloché, avocat et salade de chou

Préparation : **15 minutes** • Cuisson : **5 minutes** • Quantité : **4 portions**

Préparation

La veille du repas, faire décongeler le porc effiloché au réfrigérateur.

Au moment du repas, déposer le porc effiloché et le jus de cuisson dans une casserole. Couvrir et réchauffer à feu doux de 5 à 6 minutes en remuant de temps en temps.

Garnir les pains de tranches d'avocat, de porc effiloché, de salade de chou et de sauce barbecue.

PAR PORTION	
Calories	643
Protéines	42 g
Matières grasses	24 g
Glucides	66 g
Fibres	8 g
Fer	5 mg
Calcium	105 mg
Sodium	1 105 mg

Idée pour accompagner

Frites cajun épicées

Tailler de 4 à 5 pommes de terre (rouges, jaunes, Russet ou Idaho) en bâtonnets. Dans un bol, mélanger les bâtonnets de pommes de terre avec 30 ml (2 c. à soupe) d'huile d'olive, 15 ml (1 c. à soupe) d'assaisonnements cajun, 1,25 ml (¼ de c. à thé) de paprika fumé et 15 ml (1 c. à soupe) de zestes de lime. Déposer les bâtonnets sur une plaque de cuisson tapissée d'une feuille de papier parchemin, sans les superposer. Cuire au four 30 minutes à 205 °C (400 °F).

Porc effiloché ①
1 recette (page 28)

4 à 5 pommes de terre à chair jaune ②

Sauce à poutine ③
25 % moins de sel
375 ml (1 ½ tasse)

Fromage en grains ④
200 g (environ ½ lb)

Oignons confits ⑤
180 ml (¾ de tasse)

PRÉVOIR AUSSI :
➤ **Huile d'olive**
30 ml (2 c. à soupe)

Poutine au porc effiloché

Préparation : **15 minutes** • Cuisson : **25 minutes** • Quantité : **4 portions**

Préparation

La veille du repas, faire décongeler le porc effiloché au réfrigérateur.

Au moment du repas, préchauffer le four à 205 °C (400 °F).

Couper les pommes de terre en bâtonnets.

Dans un bol, mélanger les pommes de terre avec l'huile. Saler et poivrer.

Déposer les bâtonnets de pommes de terre sur une plaque de cuisson tapissée d'une feuille de papier parchemin, sans les superposer. Cuire au four de 20 à 25 minutes, jusqu'à ce que les frites soient croustillantes.

Dans une casserole, déposer le porc effiloché et le jus de cuisson. Couvrir et réchauffer à feu doux de 5 à 6 minutes en remuant de temps en temps.

Dans une autre casserole, chauffer la sauce à poutine à feu doux-moyen quelques minutes.

Dans quatre bols, répartir les frites. Garnir de porc effiloché et de fromage en grains. Napper de sauce, puis garnir d'oignons confits.

PAR PORTION	
Calories	823
Protéines	55 g
Matières grasses	35 g
Glucides	73 g
Fibres	8 g
Fer	5 mg
Calcium	447 mg
Sodium	1 199 mg

Version maison

Oignons confits

Dans une grande poêle, faire fondre 15 ml (1 c. à soupe) de beurre à feu moyen. Cuire 3 oignons émincés de 4 à 5 minutes. Saupoudrer de 30 ml (2 c. à soupe) de sucre et poursuivre la cuisson de 5 à 8 minutes en remuant régulièrement, jusqu'à ce que les oignons soient caramélisés. Saler et poivrer. Ajouter 5 ml (1 c. à thé) de thym haché et 80 ml (⅓ de tasse) de vin rouge dans la poêle. Remuer et laisser mijoter jusqu'à évaporation complète du liquide. Retirer du feu et laisser tiédir.

Porc effiloché ①
1 recette (page 28)

Croustilles de maïs ②
1 sac de 220 g

1 oignon rouge ③
haché

Sauce barbecue à l'érable ④
250 ml (1 tasse)

Mélange de fromages râpés ⑤
de type Mexicana
375 ml (1 ½ tasse)

FACULTATIF :
➤ **Laitue romaine**
émincée
250 ml (1 tasse)
➤ **Vinaigrette ranch**
125 ml (½ tasse)

Nacho au porc effiloché

Préparation : **15 minutes** • Cuisson : **13 minutes** • Quantité : **de 4 à 6 portions**

Préparation

La veille du repas, faire décongeler le porc effiloché au réfrigérateur.

Au moment du repas, préchauffer le four à 205 °C (400 °F).

Dans une casserole, déposer le porc effiloché et le jus de cuisson. Couvrir et réchauffer à feu doux de 5 à 6 minutes en remuant de temps en temps.

Dans un grand plat de cuisson, déposer les croustilles de maïs. Garnir de porc effiloché, d'oignon rouge, de sauce barbecue et de fromage. Cuire au four de 8 à 10 minutes.

Si désiré, garnir de laitue et napper de vinaigrette ranch à la sortie du four.

PAR PORTION	
Calories	699
Protéines	34 g
Matières grasses	35 g
Glucides	39 g
Fibres	5 g
Fer	3 mg
Calcium	270 mg
Sodium	1 179 mg

Idée pour accompagner

Guacamole

Dans un bol, déposer 15 ml (1 c. à soupe) de jus de lime, 30 ml (2 c. à soupe) de coriandre hachée, 1 pincée de piment de Cayenne et la chair de 2 avocats. À l'aide d'une fourchette, écraser les avocats. Ajouter 1 tomate coupée en dés, 60 ml (¼ de tasse) d'oignon rouge haché et 15 ml (1 c. à soupe) d'huile d'olive. Saler et remuer.

Sauce soya
faible en sodium
180 ml (¾ de tasse) ①

Cassonade ②
60 ml (¼ de tasse)

Vinaigre de riz ③
30 ml (2 c. à soupe)

Poulet ④
4 poitrines sans peau

Gingembre ⑤
haché
15 ml (1 c. à soupe)

PRÉVOIR AUSSI :
➤ **Ail**
haché
15 ml (1 c. à soupe)

RECETTE DE BASE

Poulet teriyaki

Préparation : **15 minutes** • Cuisson : **9 minutes** • Quantité : **4 portions**

Préparation

Dans un bol, mélanger la sauce soya avec la cassonade, le vinaigre de riz et l'ail. Poivrer.

Couper les poitrines de poulet en morceaux.

Dans une poêle, chauffer un peu d'huile de canola à feu moyen. Cuire les morceaux de poulet 2 minutes de chaque côté, jusqu'à ce que l'intérieur de la chair du poulet ait perdu sa teinte rosée.

Ajouter le gingembre et la sauce. Remuer. Porter à ébullition, puis laisser mijoter à feu doux 5 minutes.

Retirer du feu et laisser tiédir, puis refroidir au réfrigérateur.

Déposer la préparation au poulet et le jus de cuisson dans un contenant hermétique. Placer au congélateur.

PAR PORTION	
Calories	244
Protéines	40 g
Matières grasses	6 g
Glucides	4 g
Fibres	0 g
Fer	1 mg
Calcium	13 mg
Sodium	504 mg

À découvrir

La signification de « teriyaki »

Dans la cuisine japonaise, le terme « teriyaki » désigne généralement les plats préparés avec la sauce du même nom. Celle-ci est un subtil alliage de saveurs sucrées-salées résultant de la combinaison d'ingrédients tels la sauce soya, le gingembre et le miel. On l'ajoute à un sauté ou à une marinade pour donner une allure laquée aux chairs grillées, comme c'est le cas dans cette délicieuse recette à base de poulet.

Wraps au poulet teriyaki

Préparation : **15 minutes** • Cuisson : **4 minutes** • Quantité : **4 portions**

Poulet teriyaki ①
1 recette (page 36)

1 poivron vert ②
émincé

Chou rouge ③
émincé finement
500 ml (2 tasses)

Tortillas ④
8 petites

2 avocats ⑤
coupés en fins quartiers

PRÉVOIR AUSSI :
➤ **1 oignon**
haché

FACULTATIF :
➤ **Coriandre**
60 ml (¼ de tasse)
de feuilles

Préparation

La veille du repas, faire décongeler le poulet teriyaki au réfrigérateur.

Au moment du repas, chauffer un peu d'huile de canola à feu moyen dans une autre poêle. Cuire le poivron et l'oignon de 1 à 2 minutes.

Ajouter le poulet et réchauffer de 3 à 4 minutes en remuant.

Ajouter le chou rouge. Cuire 1 minute en remuant.

Chauffer les tortillas 30 secondes au micro-ondes.

Garnir les tortillas de poulet teriyaki, de préparation au poivron, d'avocats et, si désiré, de feuilles de coriandre.

PAR PORTION	
Calories	662
Protéines	49 g
Matières grasses	29 g
Glucides	51 g
Fibres	10 g
Fer	3 mg
Calcium	57 mg
Sodium	1 070 mg

Astuce 5•15

Utiliser ses restes de tortillas

Synonyme de saveurs mexicaines et de repas rapides, la tortilla a vraiment tout pour plaire ! Cette souple galette de maïs est délicieuse lorsqu'apprêtée de façon traditionnelle, mais elle sait aussi s'adapter à merveille à la cuisine d'ici. Il vous en reste dans le frigo ? Wrap pour le lunch, pizza express pour un souper de semaine, burrito pour le vendredi soir ou mignonne petite quiche cuite dans un moule à muffins pour le samedi midi : les possibilités culinaires pour réinventer les restes de tortillas sont aussi infinies que savoureuses !

Poulet teriyaki ①
1 recette (page 36)

Nouilles orientales pour sauté ②
de type Orient
1 paquet de 350 g

Mélange de légumes surgelés pour macaroni chinois ③
décongelé et égoutté
1 sac de 600 g

Bouillon de poulet réduit en sodium ④
125 ml (½ tasse)

Sauce soya ⑤
faible en sodium
60 ml (¼ de tasse)

Nouilles chinoises au poulet teriyaki

Préparation : **15 minutes** • Cuisson : **7 minutes** • Quantité : **4 portions**

Préparation

La veille du repas, faire décongeler le poulet teriyaki au réfrigérateur.

Au moment du repas, cuire les nouilles selon les indications de l'emballage. Égoutter.

Dans la même casserole, chauffer un peu d'huile de canola à feu moyen. Cuire le mélange de légumes de 2 à 3 minutes.

Ajouter le poulet teriyaki, le bouillon de poulet et la sauce soya. Remuer. Porter à ébullition, puis laisser mijoter de 5 à 8 minutes à feu doux.

Ajouter les nouilles. Poivrer et remuer.

PAR PORTION	
Calories	666
Protéines	58 g
Matières grasses	15 g
Glucides	76 g
Fibres	8 g
Fer	6 mg
Calcium	74 mg
Sodium	1 384 mg

À découvrir

De quoi la sauce soya est-elle faite ?

Condiment d'origine chinoise, la sauce soya est élaborée avec des fèves de soya et des céréales (blé, riz ou orge) fermentées. La version claire est la plus utilisée dans la cuisine thaï ; c'est également la plus salée. Elle est aussi offerte en version foncée, plus épaisse, ainsi qu'en version réduite en sodium. À noter que les produits offerts en épicerie s'éloignent de la recette traditionnelle, puisque la fermentation est souvent reproduite avec des additifs pour en améliorer le goût et la couleur. On recommande donc de vérifier la liste des ingrédients pour faire le meilleur choix !

Poulet teriyaki ①
1 recette (page 36)

Pâte à pizza ②
2 boules de 255 g
chacune

Sauce teriyaki épaisse ③
60 ml (¼ de tasse)

1 poivron vert ④
émincé

Mozzarella ⑤
râpée
500 ml (2 tasses)

PRÉVOIR AUSSI :
➤ 1 petit oignon rouge
émincé

Pizza au poulet teriyaki

Préparation : **15 minutes** • Cuisson : **20 minutes** • Quantité : **4 portions (2 pizzas de 20 cm – 8 po)**

Préparation

La veille du repas, faire décongeler le poulet teriyaki au réfrigérateur.

Au moment du repas, préchauffer le four à 205 °C (400 °F).

Sur une surface farinée, étirer chacune des boules de pâte en un cercle de 20 cm (8 po).

Déposer les pâtes sur une plaque de cuisson tapissée de papier parchemin. Badigeonner les pâtes de sauce teriyaki en prenant soin de laisser un pourtour libre de 1 cm (½ po).

Garnir les pâtes de poulet teriyaki, de poivron, d'oignon rouge et de mozzarella. Cuire au four de 20 à 25 minutes.

PAR PORTION	
Calories	762
Protéines	64 g
Matières grasses	23 g
Glucides	70 g
Fibres	3 g
Fer	5 mg
Calcium	365 mg
Sodium	1 901 mg

Idée pour accompagner

Salade aigre-douce

Dans un saladier, mélanger 60 ml (¼ de tasse) d'huile de sésame (non grillé) avec 30 ml (2 c. à soupe) de jus de lime, 15 ml (1 c. à soupe) de miel et 15 ml (1 c. à soupe) de graines de sésame. Ajouter 250 ml (1 tasse) de fèves germées, 250 ml (1 tasse) de brocoli coupé en petits bouquets et 1 carotte taillée en julienne. Saler, poivrer et remuer.

Mélange de crevettes et pétoncles surgelés ❶
décongelés
1 sac de 340 g

Fumet de poisson ❷
375 ml (1 ½ tasse)

Échalotes sèches ❸
(françaises)
hachées
125 ml (½ tasse)

Vin blanc ❹
60 ml (¼ de tasse)

Crème à cuisson 15 % ❺
125 ml (½ tasse)

PRÉVOIR AUSSI :
➤ **Beurre**
45 ml (3 c. à soupe)
➤ **Farine**
30 ml (2 c. à soupe)

FACULTATIF :
➤ **Aneth**
haché
60 ml (¼ de tasse)

RECETTE DE BASE

Sauce aux fruits de mer

Préparation : **15 minutes** • Cuisson : **10 minutes** • Quantité : **4 portions**

Préparation

Dans une casserole, déposer les fruits de mer et le fumet de poisson. Porter à ébullition. Filtrer la préparation au-dessus d'un bol afin de récupérer le fumet de poisson. Déposer les fruits de mer dans une assiette.

Dans la même casserole, faire fondre le beurre à feu moyen. Cuire les échalotes 2 minutes.

Saupoudrer de farine et remuer. Verser le fumet de poisson filtré, le vin blanc et la crème. Porter à ébullition en remuant.

Ajouter les fruits de mer et, si désiré, l'aneth. Saler, poivrer et remuer.

Retirer du feu, laisser tiédir, puis refroidir au réfrigérateur.

Déposer la sauce aux fruits de mer dans un contenant hermétique. Placer au congélateur.

PAR PORTION	
Calories	222
Protéines	12 g
Matières grasses	15 g
Glucides	9 g
Fibres	1 g
Fer	1 mg
Calcium	76 mg
Sodium	745 mg

Astuce 5•15

Acheter un mélange de fruits de mer surgelés

Les minutes sont comptées ? Optez pour les fruits de mer surgelés ! Les mélanges de crevettes et pétoncles sont une solution pratique et rapide pour concocter de savoureux plats express de pâtes, des pizzas, des gratins, des coquilles Saint-Jacques, etc. Avant de les cuisiner, laissez-les décongeler au frigo ou directement sous l'eau froide, puis épongez-les avec du papier absorbant. Idéal pour un délice de la mer vite fait !

Sauce aux fruits de mer ➊
1 recette (page 44)

12 lasagnes fraîches ➋

Fromage à la crème ➌
ramolli
1 contenant de 250 g

Basilic ➍
émincé
60 ml (¼ de tasse)

Mozzarella ➎
râpée
500 ml (2 tasses)

Lasagne aux fruits de mer

Préparation : **15 minutes** • Cuisson : **30 minutes** • Quantité : **4 portions**

Préparation

La veille du repas, faire décongeler la sauce aux fruits de mer au réfrigérateur.

Au moment de la cuisson, préchauffer le four à 205 °C (400 °F).

Dans une casserole d'eau bouillante salée, cuire les lasagnes *al dente.* Égoutter.

Pendant ce temps, mélanger la sauce aux fruits de mer avec le fromage à la crème dans une autre casserole. Porter à ébullition.

Ajouter le basilic dans la sauce et remuer.

Dans un plat de cuisson carré, verser un peu de sauce aux fruits de mer. Déposer trois lasagnes côte à côte dans le plat. Couvrir du tiers de la sauce. Couvrir de trois lasagnes. Répéter deux fois afin de former quatre étages au total. Couvrir de mozzarella.

Couvrir le plat d'une feuille de papier d'aluminium. Cuire au four de 10 à 15 minutes.

Retirer la feuille de papier d'aluminium et poursuivre la cuisson au four 15 minutes.

PAR PORTION	
Calories	884
Protéines	38 g
Matières grasses	52 g
Glucides	65 g
Fibres	4 g
Fer	3 mg
Calcium	482 mg
Sodium	1 191 mg

Option santé

Cette lasagne est une excellente source de calcium

En plus d'être source de protéines et de fibres, une portion de cette lasagne aux fruits de mer fournit près de 50 % de l'apport quotidien recommandé en calcium chez un adulte âgé entre 19 et 50 ans. Ce minéral essentiel favorise notamment le maintien d'une bonne santé osseuse et la prévention de l'apparition d'ostéoporose.

Sauce aux fruits de mer
1 recette (page 44)

8 vol-au-vent ②

Sauce marinara ③
125 ml (½ tasse)

Persil ④
haché
60 ml (¼ de tasse)

8 asperges ⑤
coupées en morceaux

Vol-au-vent aux fruits de mer

Préparation : **15 minutes** • Cuisson : **10 minutes** • Quantité : **4 portions**

Préparation

La veille du repas, faire décongeler la sauce aux fruits de mer au réfrigérateur.

Au moment de la cuisson, préchauffer le four à 180°C (350°F).

Déposer les vol-au-vent sur une plaque de cuisson tapissée de papier parchemin. Cuire au four de 10 à 12 minutes.

Pendant ce temps, mélanger la sauce aux fruits de mer avec la sauce marinara et le persil dans une casserole. Porter à ébullition à feu doux-moyen.

Ajouter les asperges dans la casserole. Cuire à feu doux 3 minutes.

Garnir les vol-au-vent de préparation aux fruits de mer.

PAR PORTION	
Calories	626
Protéines	20 g
Matières grasses	39 g
Glucides	47 g
Fibres	5 g
Fer	3 mg
Calcium	96 mg
Sodium	1 143 mg

Pour varier

Des vol-au-vent à toutes les saveurs!

Les vol-au-vent prêts à l'emploi sont très pratiques pour combler les petits et les grands appétits en moins de deux. Et ce qu'ils ont d'extraordinaire, c'est qu'ils constituent une base simple pour concocter différentes recettes selon les ingrédients que vous avez sous la main : saumon et poireaux, poulet et asperges, canard et champignons... Pour faire changement, variez la garniture de ces jolies coupelles de pâte feuilletée !

Sauce aux fruits de mer
1 recette (page 44) ①

6 pommes de terre ②
épluchées et
coupées en cubes

8 champignons ③
émincés

Fromage suisse ④
râpé
250 ml (1 tasse)

Chapelure panko ⑤
60 ml (¼ de tasse)

PRÉVOIR AUSSI :
➤ **Lait 2 %**
chaud
60 ml (¼ de tasse)
➤ **Beurre**
30 ml (2 c. à soupe)

Coquilles Saint-Jacques

Préparation : **15 minutes** • Cuisson : **22 minutes** • Quantité : **4 portions**

Préparation

La veille du repas, faire décongeler la sauce
aux fruits de mer au réfrigérateur.

Au moment de la cuisson, préchauffer le four
à 205 °C (400 °F).

Déposer les pommes de terre dans une casserole. Couvrir
d'eau froide et saler. Porter à ébullition, puis cuire
de 18 à 20 minutes, jusqu'à tendreté. Égoutter.

Réduire les pommes de terre en purée avec le lait chaud
et le beurre. Saler et poivrer.

Dans une autre casserole, chauffer la sauce aux fruits de
mer avec les champignons à feu moyen de 2 à 3 minutes.

Remplir une poche à pâtisserie munie d'une douille
cannelée de purée de pommes de terre. Former
des rosaces sur le pourtour des assiettes à coquilles
Saint-Jacques.

Répartir la préparation aux fruits de mer au centre des
assiettes à coquilles Saint-Jacques. Couvrir la préparation
aux fruits de mer de fromage, puis saupoudrer de
chapelure panko.

Cuire au four de 11 à 14 minutes.

Faire gratiner 1 minute à la position «gril» (*broil*).

PAR PORTION	
Calories	540
Protéines	26 g
Matières grasses	29 g
Glucides	46 g
Fibres	4 g
Fer	2 mg
Calcium	343 mg
Sodium	865 mg

À découvrir

L'origine de la coquille Saint-Jacques

La coquille Saint-Jacques tire son nom de la pratique des
pèlerins qui se rendaient à Saint-Jacques-de-Compostelle
au Moyen-âge : arrivés à la fin du parcours, au nord de
l'Espagne, ils récoltaient des coquillages sur les plages afin
de les accrocher à leur tenue en signe de bonne chance.

Bœuf haché ①
maigre
450 g (1 lb)

Mélange de légumes frais pour sauce à spaghetti ②
375 ml (1 ½ tasse)

Sauce marinara ③
500 ml (2 tasses)

Pâte de tomates ④
45 ml (3 c. à soupe)

Assaisonnements italiens ⑤
15 ml (1 c. à soupe)

PRÉVOIR AUSSI :
➤ **Ail**
haché
15 ml (1 c. à soupe)

RECETTE DE BASE

Sauce à la viande

Préparation : **15 minutes** • Cuisson : **16 minutes** • Quantité : **4 portions**

Préparation

Dans une casserole, chauffer un peu d'huile d'olive à feu moyen. Cuire le bœuf haché de 4 à 5 minutes en égrainant la viande à l'aide d'une cuillère en bois.

Ajouter le mélange de légumes et l'ail. Remuer et cuire 2 minutes.

Ajouter la sauce marinara, la pâte de tomates et les assaisonnements italiens. Saler et poivrer. Porter à ébullition, puis laisser mijoter à feu doux-moyen de 10 à 12 minutes.

Retirer du feu et laisser tiédir, puis refroidir au réfrigérateur.

Déposer la sauce à la viande dans un contenant hermétique. Placer au congélateur.

PAR PORTION	
Calories	433
Protéines	25 g
Matières grasses	25 g
Glucides	26 g
Fibres	5 g
Fer	4 mg
Calcium	77 mg
Sodium	708 mg

Pour varier

Osez changer les ingrédients !

Envie de réinventer cette sauce afin de faire changement ? N'hésitez pas à remplacer la viande (ou une partie seulement) par du porc, des lentilles ou du tofu émietté. Même chose pour les épices : vous pouvez les remplacer par vos préférées ou même ajouter une touche de piquant en incorporant de la sriracha ou du piment de Cayenne à la recette. Soyez créatif !

Sauce à la viande ①
1 recette (page 52)

Sauce chili ②
60 ml (¼ de tasse)

Sauce Worcestershire ③
30 ml (2 c. à soupe)

4 pains à hamburger ④

Cheddar jaune ⑤
râpé
250 ml (1 tasse)

Sloppy Joe

Préparation : **15 minutes** • Cuisson : **8 minutes** • Quantité : **4 portions**

Préparation

La veille du repas, faire décongeler la sauce à la viande au réfrigérateur.

Au moment du repas, réchauffer la sauce à la viande avec la sauce chili et la sauce Worcestershire de 8 à 10 minutes dans une casserole, jusqu'à ce que la sauce soit d'une consistance épaisse.

Couper les pains en deux sur l'épaisseur.

Dans une poêle, faire fondre un peu de beurre à feu moyen. Faire dorer l'intérieur des pains de 30 secondes à 1 minute.

Garnir les pains de préparation à la viande et de cheddar râpé.

PAR PORTION	
Calories	694
Protéines	35 g
Matières grasses	34 g
Glucides	60 g
Fibres	7 g
Fer	6 mg
Calcium	289 mg
Sodium	1 440 mg

Idée pour accompagner

Salade de chou allégée

Dans un saladier, mélanger 180 ml (¾ de tasse) de yogourt nature avec 15 ml (1 c. à soupe) de miel, 60 ml (¼ de tasse) de persil haché, 5 ml (1 c. à thé) de poudre d'ail, 15 ml (1 c. à soupe) de vinaigre de cidre et 5 ml (1 c. à thé) de cari. Saler et poivrer. Ajouter 750 ml (3 tasses) de mélange de légumes pour salade de chou et remuer.

Sauce à la viande ①
1 recette (page 52)

Assaisonnements à chili ②
1 sachet de 39 g

4 tomates italiennes ③
coupées en dés

Haricots rouges ④
rincés et égouttés
1 boîte de 540 ml

3 oignons verts ⑤
émincés

FACULTATIF :
➤ **Crème sure 14 %**
125 ml (½ tasse)

➤ **Mélange de fromages râpés**
de type tex-mex
125 ml (½ tasse)

Chili aux haricots rouges

Préparation : **15 minutes** • Cuisson : **8 minutes** • Quantité : **4 portions**

Préparation

La veille du repas, faire décongeler la sauce à la viande au réfrigérateur.

Au moment du repas, réchauffer la sauce avec les assaisonnements à chili, les tomates et les haricots rouges à feu doux-moyen de 8 à 10 minutes dans une casserole.

Répartir le chili dans les bols. Si désiré, garnir de crème sure et de fromage râpé. Parsemer d'oignons verts.

PAR PORTION	
Calories	691
Protéines	39 g
Matières grasses	34 g
Glucides	58 g
Fibres	14 g
Fer	7 mg
Calcium	162 mg
Sodium	1 596 mg

Option santé

Chili en version végé

Plat d'origine mexicaine devenu très populaire dans la cuisine tex-mex, le chili (ou *chile*) met en vedette le bœuf haché ainsi qu'un mélange d'assaisonnements à base de piments chili séchés et moulus, de poivre, de cumin, d'origan, de paprika, d'ail ainsi que de clous de girofle. On peut réinterpréter la formule pour une version végé (*chile sin carne*) en optant pour une sauce sans viande ou pour une sauce à base de tofu. Une option gagnante pour ceux qui souhaitent diminuer leur consommation de viande !

Sauce à la viande ❶
1 recette (page 52)

Macaronis ❷
750 ml (3 tasses)

Épinards ❸
parés
500 ml (2 tasses)

Ricotta ❹
180 ml (¾ de tasse)

Parmesan ❺
râpé
60 ml (¼ de tasse)

FACULTATIF:
➤ **Persil**
haché
60 ml (¼ de tasse)

Macaroni à la viande, épinards et ricotta

Préparation : **15 minutes** • Cuisson : **10 minutes** • Quantité : **4 portions**

PAR PORTION	
Calories	857
Protéines	44 g
Matières grasses	35 g
Glucides	90 g
Fibres	8 g
Fer	6 mg
Calcium	282 mg
Sodium	866 mg

Préparation

La veille du repas, faire décongeler la sauce à la viande au réfrigérateur.

Au moment du repas, dans une casserole d'eau bouillante salée, cuire les macaronis *al dente.* Égoutter.

Pendant ce temps, porter la sauce à la viande à ébullition à feu moyen dans une autre casserole.

Ajouter les pâtes, les épinards et, si désiré, le persil. Réchauffer 1 minute en remuant.

Répartir le macaroni à la viande dans des bols. Garnir de ricotta et de parmesan.

Astuce 5•15

Adapter la recette pour la congélation

Les lasagnes, cannellonis et macaronis à la viande se congèlent facilement et font d'excellents repas pour les lunchs. Si vous cuisinez votre plat en vue de le congeler, pensez à y ajouter un peu plus de sauce qu'à l'habitude : en réchauffant le plat au four, celle-ci sera absorbée par les pâtes.

Plats principaux

Accompagnements

Sacs à congeler

Sacs à congeler

Les sacs à congeler sont des plus utiles, surtout lorsque l'on veut cuisiner à l'avance. Voyez comment les utiliser pour une congélation optimale avec ces quelques conseils pratiques!

Par Marie-Pier Marceau

Les recettes toutes prêtes en sac ont la cote, entre autres parce qu'elles sont faciles à préparer. Il suffit de parer les ingrédients et de les déposer dans un sac de congélation avec les aromates et la sauce!

Petit, moyen ou grand?

Selon les besoins, on peut choisir différents formats de sac. Si, par exemple, on souhaite congeler une recette entière, destinée à être décongelée d'un coup, les grands sacs sont bien utiles. Si, par contre, les aliments sont destinés à être consommés en petites portions, mieux vaut miser sur de plus petits sacs de congélation. Étant donné qu'il est déconseillé de recongeler les aliments décongelés, cela permet de ne sortir que les quantités dont on a besoin!

Pas n'importe quel sac!

Il est important de s'assurer que le sac utilisé est bel et bien conçu pour la congélation. Le premier indice se trouve sur la boîte des sacs: on devrait pouvoir y lire que le plastique du sac résiste aux températures de congélation. Il faut aussi vérifier que l'on peut fermer le sac hermétiquement, sans quoi nos aliments risquent de subir des brûlures de congélation.

Et la décongélation?

Avant de cuire le contenu d'un sac, il faut le laisser décongeler complètement. Pourquoi? Pour éviter que la viande demeure trop longtemps à une température favorisant la prolifération bactérienne ainsi que pour réduire le temps de cuisson et rendre celle-ci plus uniforme! Pour ce faire, on laisse les sacs au réfrigérateur pendant au moins toute une nuit avant de les déposer dans la mijoteuse, la casserole, le plat de cuisson ou la poêle.

Qu'est-ce qu'on y met?

Aliments cuits, aliments crus, recettes entières, préparations... si ça se congèle, on peut le mettre dans un sac! Si vous congelez de la viande ou du poisson cuit, assurez leur conservation optimale en les emballant d'abord individuellement dans deux épaisseurs de pellicule plastique. En plus d'éviter que vos aliments ne subissent de brûlures par le froid, cela permet de les décongeler en portions. Attention aux aliments plus «fragiles», comme les petits fruits, qui gagneront à être congelés d'abord à plat (sur une plaque de cuisson) ou dans un contenant rigide.

Retirer l'air

Une fois le sac de congélation rempli, il est important d'en retirer l'air. Pour ce faire, on le ferme presque entièrement en laissant un espace dans lequel on insère une paille. On aspire ensuite – attention de ne pas aspirer les aliments! – jusqu'à ce que le sac se vide de son air. Cela permet une meilleure conservation du goût, de l'odeur et de l'apparence du contenu du sac.

Truc de pro

Si vous achetez de la viande hachée en grande quantité, congelez le surplus dans un grand sac de congélation. Retirez l'air du sac et aplatissez son contenu. Vous pourrez ensuite y tracer des séparations à l'aide d'une baguette en bois. Le moment venu de sortir la viande, vous aurez simplement à détacher les portions nécessaires!

Sauce soya ❶
réduite en sodium
60 ml (¼ de tasse)

Sauce chili épicée thaï ❷
125 ml (½ tasse)

Vinaigre de riz ❸
30 ml (2 c. à soupe)

Gingembre ❹
haché
15 ml (1 c. à soupe)

Poulet ❺
12 pilons

PRÉVOIR AUSSI :
➤ **Ail**
haché
15 ml (1 c. à soupe)

FACULTATIF :
➤ **Coriandre**
45 ml (3 c. à soupe)
de feuilles

Pilons de poulet style Général Tao

Préparation : **15 minutes** • Cuisson à faible intensité : **5 heures** • Quantité : **4 portions**

Préparation

Dans un grand sac hermétique, déposer la sauce soya, la sauce chili épicée thaï, le vinaigre de riz, le gingembre et l'ail. Secouer.

Ajouter les pilons de poulet et fermer le sac. Secouer afin de bien enrober les pilons de sauce. Retirer l'air du sac et sceller.

Déposer le sac à plat au congélateur.

La veille du repas, laisser décongeler le sac au réfrigérateur.

Au moment de la cuisson, transvider la préparation dans la mijoteuse. Couvrir et cuire à faible intensité de 5 à 6 heures.

Si désiré, garnir les pilons de poulet de feuilles de coriandre au moment de servir.

PAR PORTION	
Calories	623
Protéines	62 g
Matières grasses	37 g
Glucides	6 g
Fibres	0 g
Fer	4 mg
Calcium	38 mg
Sodium	867 mg

À découvrir

L'origine du Général Tao

Ces ailes de poulet sont apprêtées de façon similaire au célèbre poulet Général Tao. Ce mets chinois très populaire a été créé par le chef taïwanais Peng Chang-Kuei, qui s'est inspiré des saveurs aigres épicées traditionnelles. Après avoir immigré aux États-Unis, il a eu l'idée d'ajouter du sucre à la recette pour plaire davantage aux palais nord-américains. Il a nommé son plat en l'honneur du général Tao, héros de guerre chinois du XIXe siècle.

Bœuf Stroganoff

Préparation : **15 minutes** • Cuisson à faible intensité : **4 heures 10 minutes** • Quantité : **4 portions**

Préparation

Dans un grand sac hermétique, déposer le bouillon de bœuf, le vin et la moutarde de Dijon. Secouer.

Ajouter le bœuf, les champignons, l'oignon et l'ail. Fermer le sac et secouer. Retirer l'air du sac et sceller.

Déposer le sac à plat au congélateur.

La veille du repas, laisser décongeler le sac au réfrigérateur.

Au moment de la cuisson, transvider la préparation dans la mijoteuse. Couvrir et cuire à faible intensité à 4 heures.

Si désiré, incorporer le yogourt. Poursuivre la cuisson 10 minutes.

Si désiré, parsemer de persil au moment de servir.

PAR PORTION	
Calories	406
Protéines	49 g
Matières grasses	14 g
Glucides	12 g
Fibres	2 g
Fer	5 mg
Calcium	118 mg
Sodium	459 mg

À découvrir

Le bœuf Stroganoff

Le bœuf Stroganoff doit son nom à une recette traditionnelle d'une famille d'aristocrates russes, les Stroganov, qu'un chef français adapta en y ajoutant de la crème fraîche. Depuis sa naissance au XIXe siècle, ce grand classique de la cuisine russe a voyagé aux quatre coins du globe, donnant naissance à de multiples variantes parfois rehaussées de paprika, mais toutes à base de bœuf et de champignons. On peut servir le bœuf Stroganoff à la russe avec des pommes de terre sautées et des cornichons, ou encore l'accompagner de pâtes fraîches. Un mets vite fait à découvrir !

Bouillon de bœuf ❶
250 ml (1 tasse)

Vin rouge ❷
180 ml (¾ de tasse)

Moutarde de Dijon ❸
30 ml (2 c. à soupe)

Bœuf ❹
750 g (environ 1 ⅔ lb) de surlonge coupée en lanières

Champignons ❺
émincés
450 g (1 lb)

PRÉVOIR AUSSI :
➤ **1 oignon**
haché

➤ **Ail**
2 gousses hachées

FACULTATIF :
➤ **Yogourt nature 0 %**
180 ml (¾ de tasse)

➤ **Persil**
haché
45 ml (3 c. à soupe)

Tomates en dés
1 boîte de 540 ml

Bouillon de poulet
réduit en sodium
125 ml (½ tasse)

Assaisonnements cajun
30 ml (2 c. à soupe)

3 poivrons de couleurs variées
coupés en morceaux

8 saucisses italiennes douces
coupées en morceaux

PRÉVOIR AUSSI :
➤ 1 **oignon rouge**
émincé

➤ **Ail**
haché
15 ml (1 c. à soupe)

Saucisses cajun

Préparation : **15 minutes** • Cuisson à faible intensité : **5 heures** • Quantité : **4 portions**

Préparation

Dans un bol, mélanger les tomates en dés avec le bouillon, les assaisonnements cajun, les poivrons, les saucisses, l'oignon rouge et l'ail. Saler et poivrer.

Verser la préparation dans un grand sac hermétique. Retirer l'air du sac et sceller.

Déposer le sac à plat au congélateur.

La veille du repas, laisser décongeler le sac au réfrigérateur.

Au moment de la cuisson, transvider la préparation dans la mijoteuse. Couvrir et cuire à faible intensité de 5 à 6 heures.

PAR PORTION	
Calories	441
Protéines	23 g
Matières grasses	30 g
Glucides	21 g
Fibres	3 g
Fer	2 mg
Calcium	65 mg
Sodium	1434 mg

Bon à savoir

Quelle est la différence entre le poivron et le piment ?

L'un a un goût tout doux et sucré, l'autre a une saveur plus forte et piquante. Dérivés de la même plante sauvage *Capsicum*, le poivron et le piment se différencient par leur teneur en capsaïcine, laquelle produit un effet discret ou brûlant en bouche, selon la variété. Utilisée comme barème, l'échelle de Scoville permet de mesurer le degré de «chaleur» de ces légumes-fruits. Les poivrons affichent de 0 à 100 SHU (Scoville Heat Unit), les piments Ancho (bonne base pour les sauces) de 1 000 à 1 500 et les piments d'Espelette (piment basque) de 1 500 à 2 500. Plus «explosifs», les piments habanero (ou «piments antillais») offrent de 200 000 à 300 000 SHU... Un conseil : pour rendre un piment fort presque inoffensif, retirez toutes les graines et la membrane blanche !

Saumon ❶
750 g (environ
1 ⅔ lb) de filets
de 2,5 cm (1 po)
d'épaisseur,
la peau enlevée

**Crème de
champignons
condensée** ❷
1 boîte de 284 ml

Crème à cuisson 15 % ❸
125 ml (½ tasse)

Champignons ❹
émincés
1 contenant de 227 g

Cheddar ❺
râpé
375 ml (1 ½ tasse)

PRÉVOIR AUSSI :
➤ **Bouillon de
légumes**
125 ml (½ tasse)
➤ **1 oignon**
haché

FACULTATIF :
➤ **Citron**
15 ml (1 c. à soupe)
de zestes
➤ **Ciboulette**
hachée
30 ml (2 c. à soupe)

Mijoté de saumon aux champignons

Préparation : **15 minutes** • Cuisson à faible intensité : **2 heures 10 minutes** • Quantité : **de 4 à 6 portions**

Préparation

Couper le saumon en gros morceaux.

Dans un grand sac hermétique, déposer la crème de champignons, la crème, les champignons, le bouillon de légumes et l'oignon. Saler et poivrer. Secouer.

Ajouter les morceaux de saumon et fermer le sac. Secouer pour bien enrober le saumon de sauce. Retirer l'air du sac et sceller.

Déposer le sac à plat au congélateur.

La veille du repas, laisser décongeler le sac au réfrigérateur.

Au moment de la cuisson, transvider la préparation dans la mijoteuse. Couvrir et cuire à faible intensité de 1 heure 50 minutes à 2 heures 20 minutes.

Si désiré, mélanger le cheddar avec les zestes de citron et la ciboulette dans un bol.

Répartir le mélange au fromage sur le saumon. Couvrir et poursuivre la cuisson 10 minutes.

PAR PORTION	
Calories	475
Protéines	36 g
Matières grasses	33 g
Glucides	8 g
Fibres	1 g
Fer	1 mg
Calcium	262 mg
Sodium	655 mg

À découvrir

Le saumon : un allié santé

Le saumon est un aliment aux multiples vertus. En plus d'être une excellente source de vitamine D (37 % VQ) et de phosphore (26 % VQ), éléments essentiels à la bonne minéralisation des os, sa chair rassasiante possède une bonne teneur en protéines. Même si c'est un poisson gras, le saumon est bénéfique pour la santé cardiovasculaire, car il renferme beaucoup d'oméga-3. Il en est de même pour le saumon fumé. Toutefois, étant donné la teneur plus élevée en sodium de ce dernier, on suggère de le consommer de façon modérée.

Salsa douce ❶
500 ml (2 tasses)

Poitrines de poulet à la salsa

Préparation : **15 minutes** • Cuisson à faible intensité : **7 heures** • Quantité : **4 portions**

Préparation

Dans un grand bol, mélanger la salsa avec les haricots, le maïs en grains, les assaisonnements à tacos, les poitrines de poulet et, si désiré, les tomates en dés.

Transvider la préparation dans un grand sac hermétique. Retirer l'air du sac et sceller.

Déposer le sac à plat au congélateur.

La veille du repas, laisser décongeler le sac au réfrigérateur.

Au moment de la cuisson, transvider la préparation dans la mijoteuse. Couvrir et cuire à faible intensité de 7 à 8 heures.

PAR PORTION	
Calories	496
Protéines	55 g
Matières grasses	4 g
Glucides	62 g
Fibres	13 g
Fer	7 mg
Calcium	121 mg
Sodium	1387 mg

Haricots noirs ❷
rincés et égouttés
1 boîte de 540 ml

Maïs ❸
surgelé
500 ml
(2 tasses) de grains

À découvrir

La salsa

Le mot espagnol *salsa* signifie « sauce ». Il s'agit généralement d'un mélange composé de tomates, d'oignons et de piments, auquel s'ajoutent divers aromates (fines herbes dont la coriandre, épices, ail, jus de lime, etc.) et parfois des fruits coupés en dés (mangue, ananas...). La salsa la plus connue est la mexicaine (*salsa roja*) qui accompagne nachos, enchiladas, burritos, etc.

Assaisonnements à tacos ❹
réduits en sodium
1 sachet de 35 g

Poulet ❺
4 poitrines sans peau

FACULTATIF :
➤ **Tomates en dés avec oignons, céleri et poivrons verts**
1 boîte de 540 ml

Tomates entières
1 boîte de 796 ml ❶

Assaisonnements à chili ❷
15 ml (1 c. à soupe)

Mélange de légumes surgelés pour spaghetti ❸
1 sac de 750 g

Maïs ❹
250 ml (1 tasse)
de grains

Haricots mélangés ❺
rincés et égouttés
1 boîte de 540 ml

PRÉVOIR AUSSI :
➤ **Sucre**
30 ml (2 c. à soupe)

➤ **Ail**
haché
15 ml (1 c. à soupe)

FACULTATIF :
➤ 4 **tortillas**

Chili végé

Préparation : **15 minutes** • Cuisson à faible intensité : **5 heures** • Quantité : **4 portions**

Préparation

Dans un grand sac hermétique, déposer les tomates entières, les assaisonnements à chili et le sucre. Secouer.

Ajouter le mélange de légumes, le maïs, les haricots et l'ail. Fermer le sac, puis secouer. Retirer l'air du sac et sceller.

Déposer le sac à plat au congélateur.

La veille du repas, laisser décongeler le sac au réfrigérateur.

Au moment de la cuisson, transvider la préparation dans la mijoteuse. Saler et poivrer. Couvrir et cuire à faible intensité de 5 à 6 heures.

Si désiré, servir le chili sur des tortillas au moment de servir.

PAR PORTION	
Calories	410
Protéines	17 g
Matières grasses	4 g
Glucides	81 g
Fibres	16 g
Fer	6 mg
Calcium	173 mg
Sodium	1 484 mg

Idée pour accompagner

Crème sure à la lime et coriandre

Mélanger 160 ml (⅔ de tasse) de crème sure avec 15 ml (1 c. à soupe) de jus de lime, 15 ml (1 c. à soupe) de zestes de lime et 15 ml (1 c. à soupe) de coriandre hachée. Saler et poivrer.

Consommé de bœuf ❶
1 boîte de 284 ml

Sauce soya ❷
réduite en sodium
60 ml (¼ de tasse)

Cassonade ❸
125 ml (½ tasse)

Bœuf ❹
908 g (2 lb) de haut
de surlonge coupé
en lanières épaisses

1 brocoli ❺
coupé en petits
bouquets

PRÉVOIR AUSSI :
➤ **Gingembre**
haché
15 ml (1 c. à soupe)

➤ **Ail**
haché
15 ml (1 c. à soupe)

FACULTATIF :
➤ **Huile de sésame**
(non grillé)
30 ml (2 c. à soupe)

Bœuf au brocoli à la chinoise

Préparation : **15 minutes** • Cuisson à faible intensité : **7 heures** • Quantité : **4 portions**

Préparation

Dans un grand sac hermétique, déposer le consommé de bœuf, la sauce soya, la cassonade, le gingembre, l'ail et, si désiré, l'huile de sésame. Saler et poivrer. Secouer.

Ajouter le bœuf et le brocoli, puis fermer le sac. Secouer pour bien enrober la viande et le brocoli de sauce. Retirer l'air du sac et sceller.

Déposer le sac à plat au congélateur.

La veille du repas, laisser décongeler le sac au réfrigérateur.

Au moment de la cuisson, transvider la préparation dans la mijoteuse. Couvrir et cuire à faible intensité de 7 à 8 heures.

PAR PORTION	
Calories	468
Protéines	55 g
Matières grasses	16 g
Glucides	25 g
Fibres	0 g
Fer	6 mg
Calcium	67 mg
Sodium	1202 mg

Option santé

Le brocoli

Comme les autres crucifères, le brocoli est un champion anticancer. Excellente source de vitamine C et de potassium ainsi que bonne source d'acide folique, ce légume contient également des antioxydants, de la vitamine A, du magnésium, du fer et du phosphore.

Ketchup ❶
310 ml (1 ¼ tasse)

Cassonade ❷
45 ml (3 c. à soupe)

Vinaigre de cidre ❸
30 ml (2 c. à soupe)

Moutarde sèche ❹
15 ml (1 c. à soupe)

Porc ❺
4 côtelettes avec os
de 180 g (environ
⅓ de lb) chacune

PRÉVOIR AUSSI :
➤ **Bouillon de poulet**
sans sel ajouté
250 ml (1 tasse)

➤ **Sirop d'érable**
80 ml (⅓ de tasse)

FACULTATIF :
➤ **Paprika fumé**
5 ml (1 c. à thé)

Côtelettes de porc barbecue et érable

Préparation : **15 minutes** • Cuisson à faible intensité : **6 heures 30 minutes** • Quantité : **4 portions**

Préparation

Dans un grand sac hermétique, déposer le ketchup, la cassonade, le vinaigre de cidre, la moutarde sèche, le bouillon de poulet, le sirop d'érable et, si désiré, le paprika fumé. Secouer.

Retirer l'excédent de gras des côtelettes de porc.

Ajouter les côtelettes de porc dans le sac et fermer le sac. Secouer afin de bien enrober les côtelettes de sauce. Retirer l'air du sac et sceller.

Déposer le sac à plat au congélateur.

La veille du repas, laisser décongeler le sac au réfrigérateur.

Au moment de la cuisson, transvider la préparation dans la mijoteuse. Couvrir et cuire à faible intensité de 6 heures 30 minutes à 7 heures 30 minutes.

PAR PORTION	
Calories	342
Protéines	28 g
Matières grasses	6 g
Glucides	46 g
Fibres	2 g
Fer	2 mg
Calcium	79 mg
Sodium	966 mg

Secret de chef

Utiliser de la fécule de maïs pour épaissir la préparation

La fécule de maïs (aussi appelée « amidon de maïs ») présente des propriétés gélifiantes qui permettent de donner du volume aux sauces et aux desserts. Vous pouvez en utiliser dans cette recette pour épaissir la sauce. Pour ce faire, délayez 15 ml (1 c. à soupe) de fécule de maïs dans un peu d'eau froide (cela évitera la formation de grumeaux). À la fin de la cuisson, versez le mélange de fécule dans la mijoteuse en remuant jusqu'à épaississement du liquide. Couvrez et poursuivez la cuisson 30 minutes.

Ananas ❶
en morceaux,
avec le jus
1 boîte de 398 ml

Cassonade ❷
45 ml (3 c. à soupe)

Sauce soya ❸
réduite en sodium
60 ml (¼ de tasse)

1 poivron rouge ❹
émincé

Poulet ❺
12 hauts de cuisses
désossés

PRÉVOIR AUSSI :
➤ **½ oignon rouge**
émincé

Poulet à l'hawaïenne

Préparation : **15 minutes** • Cuisson à faible intensité : **5 heures** • Quantité : **4 portions**

Préparation

Dans un grand sac hermétique, déposer les morceaux d'ananas, le jus d'ananas, la cassonade, la sauce soya, le poivron, les hauts de cuisses et l'oignon rouge. Saler et poivrer. Fermer le sac et secouer. Retirer l'air du sac et sceller.

Déposer le sac à plat au congélateur.

La veille du repas, laisser décongeler le sac au réfrigérateur.

Au moment de la cuisson, transvider la préparation dans la mijoteuse. Couvrir et cuire à faible intensité de 5 à 6 heures.

PAR PORTION	
Calories	324
Protéines	35 g
Matières grasses	9 g
Glucides	25 g
Fibres	2 g
Fer	3 mg
Calcium	48 mg
Sodium	694 mg

Option santé

L'ananas, un fruit bourré de nutriments !

En plus d'offrir un goût qui mène les papilles tout droit sous le soleil d'Hawaï, l'ananas est un allié santé ! En effet, ce fruit est une excellente source de magnésium et de vitamine C. On dit également de l'ananas qu'il a un pouvoir antioxydant élevé. Toutes les raisons sont bonnes pour mettre ce fruit exotique dans notre assiette !

Mahi-mahi au lait de coco et gingembre

Préparation : **15 minutes** • Cuisson à faible intensité : **1 heure** • Quantité : **4 portions**

Lait de coco ❶
1 boîte de 400 ml

Gingembre ❷
haché
15 ml (1 c. à soupe)

Mahi-mahi ❸
4 filets de 2,5 cm (1 po)
d'épaisseur chacun

Échalotes sèches ❹
(françaises)
hachées
60 ml (¼ de tasse)

Aneth ❺
haché
30 ml (2 c. à soupe)

Préparation

Dans un grand sac hermétique, déposer le lait de coco, le gingembre et l'ail. Saler et poivrer. Secouer.

Ajouter les filets de mahi-mahi, les échalotes sèches, l'aneth et, si désiré, le persil. Fermer le sac et secouer. Retirer l'air du sac et sceller.

Déposer le sac à plat au congélateur.

La veille du repas, laisser décongeler le sac au réfrigérateur.

Au moment de la cuisson, transvider la préparation dans la mijoteuse. Couvrir et cuire à faible intensité de 1 heure à 1 heure 15 minutes.

PAR PORTION	
Calories	311
Protéines	33 g
Matières grasses	17 g
Glucides	6 g
Fibres	1 g
Fer	3 mg
Calcium	82 mg
Sodium	193 mg

Astuce 5•15

Quel type de poisson choisir ?

Pour la cuisson à la mijoteuse, préférez les poissons à chair ferme tels le mahi-mahi, l'aiglefin, le flétan, la morue ou le vivaneau. En cuisant, leur chair s'imbibe du bouillon parfumé pour en ressortir moelleuse et pleine de saveur ! Un poisson à chair molle, comme la sole, en ressortirait plutôt en bouillie.

PRÉVOIR AUSSI :
➤ **Ail**
haché
10 ml (2 c. à thé)

FACULTATIF :
➤ **Persil**
haché
30 ml (2 c. à soupe)

Porc ❶
1 filet de 675 g
(environ 1 ½ lb)

Cassonade ❷
125 ml (½ tasse)

Sauce barbecue ❸
125 ml (½ tasse)

Paprika fumé ❹
15 ml (1 c. à soupe)

Mélasse ❺
15 ml (1 c. à soupe)

PRÉVOIR AUSSI :
➤ **Ail**
haché
15 ml (1 c. à soupe)

FACULTATIF :
➤ **Gingembre**
moulu
15 ml (1 c. à soupe)

Filet de porc barbecue

Préparation : **15 minutes** • Cuisson à faible intensité : **5 heures** • Quantité : **4 portions**

Préparation

Parer le filet de porc en retirant la membrane blanche.

Dans un bol, mélanger la cassonade avec la sauce barbecue, le paprika fumé, la mélasse, l'ail et, si désiré, le gingembre moulu. Saler et poivrer.

Dans un grand sac hermétique, déposer le filet de porc. Ajouter la sauce et fermer le sac. Secouer pour bien enrober le filet de sauce. Retirer l'air du sac et sceller.

Déposer le sac à plat au congélateur.

La veille du repas, laisser décongeler le sac au réfrigérateur.

Au moment de la cuisson, transvider la préparation dans la mijoteuse. Couvrir et cuire à faible intensité de 5 à 6 heures.

PAR PORTION	
Calories	331
Protéines	38 g
Matières grasses	3 g
Glucides	37 g
Fibres	1 g
Fer	3 mg
Calcium	49 mg
Sodium	470 mg

Idée pour accompagner

Salade de chou aux poires et radis

Dans un saladier, mélanger 60 ml (¼ de tasse) de mayonnaise avec 15 ml (1 c. à soupe) de moutarde à l'ancienne, 60 ml (¼ de tasse) de jus d'orange, 45 ml (3 c. à soupe) de persil haché, 30 ml (2 c. à soupe) de miel et 30 ml (2 c. à soupe) de menthe hachée. Saler et poivrer. Ajouter ½ chou vert émincé finement ainsi que 2 poires et 8 radis tranchés finement. Remuer.

Tomates en dés ❶
1 boîte de 540 ml

Poivrons ❷
émincés
1 vert et 1 rouge

Épices à steak ❸
15 ml (1 c. à soupe)

Sauce demi-glace ❹
125 ml (½ tasse)

Bœuf ❺
8 tournedos de
90 g (environ 3 ½ oz)
chacun

PRÉVOIR AUSSI :
➤ 1 **oignon**
émincé
➤ **Bouillon de bœuf**
45 ml (3 c. à soupe)

FACULTATIF :
➤ **Sauce Worcestershire**
30 ml (2 c. à soupe)

Steak aux poivrons

Préparation : **15 minutes** • Cuisson à faible intensité : **7 heures** • Quantité : **4 portions**

Préparation

Dans un grand sac hermétique, déposer les tomates en dés, les poivrons, les épices à steak, la sauce demi-glace, l'oignon, le bouillon et, si désiré, la sauce Worcestershire. Secouer.

Ajouter les tournedos et fermer le sac. Secouer afin de bien enrober les tournedos de sauce. Retirer l'air du sac et sceller.

Déposer le sac à plat au congélateur.

La veille du repas, laisser décongeler le sac au réfrigérateur.

Au moment de la cuisson, transvider la préparation dans la mijoteuse. Couvrir et cuire à faible intensité de 7 à 8 heures.

PAR PORTION	
Calories	447
Protéines	54 g
Matières grasses	16 g
Glucides	20 g
Fibres	2 g
Fer	8 mg
Calcium	83 mg
Sodium	760 mg

À découvrir

La sauce demi-glace

La sauce demi-glace résulte de la réduction d'un fond brun (de veau ou de bœuf) que l'on a laissé mijoter durant près de 15 heures. Elle sert de base pour nombre de sauces auxquelles elle donne du corps et beaucoup de saveur. Comme elle exige un temps de préparation assez long, on peut prendre un raccourci en adoptant la demi-glace du commerce, comme pour cette recette. Au supermarché, on la trouve surgelée ou réfrigérée au comptoir des viandes, ou encore en sachet au rayon des sauces.

Crème de poulet condensée
1 boîte de 284 ml

❶

Poulet
4 poitrines sans peau émincées

❷

2 carottes
coupées en dés

❸

Céleri
2 branches coupées en dés

❹

1 brocoli
coupé en petits bouquets

❺

PRÉVOIR AUSSI :
➤ **Bouillon de poulet**
180 ml (¾ de tasse)

➤ **Échalotes sèches**
(françaises)
hachées
125 ml (½ tasse)

FACULTATIF :
➤ **Moutarde à l'ancienne**
30 ml (2 c. à soupe)

Casserole de poulet et brocoli

Préparation : **15 minutes** • Cuisson à faible intensité : **4 heures** • Quantité : **4 portions**

Préparation

Dans un bol, mélanger la crème de poulet avec le bouillon de poulet, les échalotes sèches et, si désiré, la moutarde à l'ancienne.

Déposer le poulet, les carottes, le céleri et le brocoli dans un grand sac hermétique. Verser la sauce dans le sac, puis le fermer. Secouer afin de bien mélanger la préparation. Retirer l'air du sac et sceller.

Déposer le sac à plat au congélateur.

La veille du repas, laisser décongeler le sac au réfrigérateur.

Au moment de la cuisson, transvider la préparation dans la mijoteuse. Couvrir et cuire à faible intensité de 4 à 5 heures.

PAR PORTION	
Calories	313
Protéines	45 g
Matières grasses	8 g
Glucides	13 g
Fibres	2 g
Fer	2 mg
Calcium	51 mg
Sodium	860 mg

Astuce 5•15

Décongelez en toute sécurité!

Vous utilisez des poitrines de poulet surgelées pour réaliser cette recette ? Afin d'éviter la prolifération des bactéries, il est déconseillé de décongeler le poulet à température ambiante. Si vous avez oublié de placer votre poulet au réfrigérateur la veille, vous pouvez décongeler celui-ci au micro-ondes (à raison de 5 minutes par livre en mode décongélation) ou encore dans un bol d'eau froide (dans son emballage, submergez votre poulet et changez l'eau aux trente minutes).

Cari
30 ml (2 c. à soupe) ❶

Cumin
5 ml (1 c. à thé) ❷

Gingembre
râpé
5 ml (1 c. à thé) ❸

Morue
coupée en cubes
560 g (environ
1 ¼ lb) ❹

20 tomates cerises ❺

PRÉVOIR AUSSI :
➤ **Bouillon de légumes**
réduit en sodium
375 ml (1 ½ tasse)

FACULTATIF :
➤ **Coriandre**
Quelques feuilles

Mijoté de morue au cari

Préparation : **15 minutes** • Cuisson à faible intensité : **4 heures** • Quantité : **4 portions**

Préparation

Dans un bol, mélanger le cari avec le cumin, le gingembre et le bouillon de légumes. Saler et poivrer.

Déposer les cubes de morue et les tomates cerises dans un grand sac hermétique. Verser la préparation au bouillon de légumes dans le sac, puis le fermer. Secouer afin de bien mélanger la préparation. Retirer l'air du sac et sceller.

Déposer le sac à plat au congélateur.

La veille du repas, laisser décongeler le sac au réfrigérateur.

Au moment de la cuisson, transvider la préparation dans la mijoteuse. Couvrir et cuire à faible intensité 4 heures. Une fois la cuisson terminée, rectifier l'assaisonnement au besoin.

Si désiré, garnir de coriandre au moment de servir.

PAR PORTION	
Calories	150
Protéines	27 g
Matières grasses	2 g
Glucides	7 g
Fibres	3 g
Fer	2 mg
Calcium	51 mg
Sodium	137 mg

Idée pour accompagner

Riz au citron

Cuire 125 ml (½ tasse) de riz basmati selon les indications de l'emballage. Dans une poêle, chauffer 15 ml (1 c. à soupe) d'huile d'olive à feu moyen. Faire revenir ½ oignon haché de 1 à 2 minutes. Ajouter le riz cuit, 30 ml (2 c. à soupe) de persil haché et 15 ml (1 c. à soupe) de zestes de citron. Saler et poivrer.

Recette de Ève Godin, nutritionniste

Veau
750 g (environ 1 ⅔ lb)
de cubes à ragoût ❶

1 poivron rouge ❷
coupé en dés

Céleri ❸
2 branches coupées
en dés

2 carottes ❹
coupées en dés

Porto rouge ❺
375 ml (1 ½ tasse)

PRÉVOIR AUSSI :
➤ ½ **oignon**
coupé en dés

Mijoté de veau au porto

Préparation : **15 minutes** • Cuisson à faible intensité : **8 heures** • Quantité : **4 portions**

Préparation

Dans un grand sac hermétique, déposer le veau, le poivron, le céleri, les carottes, le porto et l'oignon. Secouer pour bien enrober les aliments de porto. Retirer l'air du sac et sceller.

Déposer le sac à plat au congélateur.

La veille du repas, laisser décongeler le sac au réfrigérateur.

Au moment de la cuisson, transvider la préparation dans la mijoteuse. Couvrir et cuire à faible intensité 8 heures.

PAR PORTION	
Calories	430
Protéines	39 g
Matières grasses	8 g
Glucides	21 g
Fibres	2 g
Fer	2 mg
Calcium	60 mg
Sodium	199 mg

Idée pour accompagner

Tagliatelles aux fines herbes et noix de pin

Dans une casserole d'eau bouillante salée, cuire 350 g (environ ¾ de lb) de tagliatelles *al dente*. Égoutter. Dans la même casserole, chauffer 30 ml (2 c. à soupe) d'huile d'olive à feu moyen. Cuire 60 ml (¼ de tasse) de noix de pin 1 minute. Ajouter les pâtes, 30 ml (2 c. à soupe) de ciboulette hachée, 30 ml (2 c. à soupe) de persil haché et 10 ml (2 c. à thé) de sarriette hachée. Saler, poivrer et remuer.

Porc ❶
755 g (1 ⅔ lb)
de filets

Échalotes sèches ❷
(françaises)
hachées
80 ml (⅓ de tasse)

Miel ❸
60 ml (¼ de tasse)

Moutarde de Dijon ❹
45 ml (3 c. à soupe)

Sauce Worcestershire ❺
30 ml (2 c. à soupe)

PRÉVOIR AUSSI :
➤ **Bouillon de poulet**
125 ml (½ tasse)

➤ **Thym**
haché
15 ml (1 c. à soupe)

Porc miel et Dijon

Préparation : **15 minutes** • Cuisson à faible intensité : **6 heures** • Quantité : **4 portions**

Préparation

Parer les filets de porc en retirant la membrane blanche.

Dans un bol, mélanger les échalotes sèches avec le miel, la moutarde, la sauce Worcestershire et le bouillon de poulet. Saler et poivrer.

Déposer les filets de porc et le thym dans un grand sac hermétique. Verser la sauce dans le sac, puis le fermer. Secouer afin de bien mélanger la préparation. Retirer l'air du sac et le sceller.

Déposer le sac à plat au congélateur.

La veille du repas, laisser décongeler le sac au réfrigérateur.

Au moment de la cuisson, transvider la préparation dans la mijoteuse. Couvrir et cuire à faible intensité de 6 à 7 heures.

PAR PORTION	
Calories	309
Protéines	44 g
Matières grasses	4 g
Glucides	22 g
Fibres	0 g
Fer	3 mg
Calcium	29 mg
Sodium	602 mg

Idée pour accompagner

Pommes de terre grelots aux fines herbes

Dans une casserole d'eau froide salée, déposer 450 g (1 lb) de pommes de terre grelots. Porter à ébullition, puis cuire de 15 à 18 minutes, jusqu'à ce que les pommes de terre soient cuites, mais encore croquantes. Égoutter et couper les pommes de terre en deux. Dans une grande poêle, faire fondre 15 ml (1 c. à soupe) de beurre à feu moyen. Rôtir les pommes de terre de 4 à 5 minutes. Transférer les pommes de terre dans un grand bol. Incorporer 15 ml (1 c. à soupe) d'huile d'olive, 15 ml (1 c. à soupe) de jus de citron, 30 ml (2 c. à soupe) de persil haché et 5 ml (1 c. à thé) de thym haché. Saler et poivrer.

Ketchup
250 ml (1 tasse) ❷

Mélasse
80 ml (⅓ de tasse) ❸

Poulet ❹
675 g (environ 1 ½ lb)
de poitrines sans peau

4 pains ciabatta ❺

Poulet effiloché barbecue

Préparation : **15 minutes** • Cuisson à faible intensité : **4 heures** • Cuisson à intensité élevée : **10 minutes** • Quantité : **4 portions**

Préparation

Dans un bol, mélanger la *root beer* avec le ketchup et la mélasse. Saler et poivrer.

Dans un grand sac hermétique, déposer les poitrines de poulet. Ajouter la sauce et fermer le sac. Secouer doucement afin de bien enrober le poulet de sauce. Retirer l'air du sac et sceller.

Déposer le sac à plat au congélateur.

La veille du repas, laisser décongeler le sac au réfrigérateur.

Au moment de la cuisson, transvider la préparation dans la mijoteuse. Couvrir et cuire à faible intensité de 4 à 5 heures.

Retirer les poitrines de la mijoteuse et laisser tiédir. Effilocher la viande à l'aide de deux fourchettes.

Remettre le poulet effiloché dans la mijoteuse et remuer. Chauffer 10 minutes à intensité élevée.

Garnir les pains ciabatta de poulet effiloché. Si désiré, garnir de laitue.

PAR PORTION	
Calories	506
Protéines	44 g
Matières grasses	3 g
Glucides	74 g
Fibres	2 g
Fer	3 mg
Calcium	99 mg
Sodium	1112 mg

Secret de chef

Pour des plats à la mijoteuse toujours succulents

Il est important de dégraisser la viande et la volaille avant la cuisson à la mijoteuse, car autrement, le gras fond et flotte à la surface. Pour la volaille, on recommande également de retirer la peau, qui a tendance à « friper » pendant la cuisson, ou de la faire dorer au préalable. Enfin, on saisit la viande avant la cuisson pour lui permettre de dévoiler davantage d'arômes parfumés ainsi qu'une couleur irrésistible !

FACULTATIF :
➤ **Laitue**
4 feuilles

96

Bœuf ❶
1 rôti de palette de
908 g (2 lb)

Soupe à l'oignon ❷
1 sachet de 42 g

Pommes de terre grelots ❸
450 g (1 lb)

Haricots verts ❹
coupés en morceaux
150 g (⅓ de lb)

Mini-carottes ❺
250 ml (1 tasse)

Rôti de palette aux légumes

Préparation : **15 minutes** • Cuisson à faible intensité : **8 heures** • Quantité : **4 portions**

Préparation

Dans un grand bol, déposer le rôti de palette. Saupoudrer de soupe à l'oignon. Retourner le rôti de palette afin de bien l'enrober de soupe à l'oignon.

Déposer le rôti de palette dans un grand sac hermétique.

Ajouter les pommes de terre, les haricots et les mini-carottes dans le sac. Saler et poivrer. Retirer l'air du sac et sceller.

Déposer le sac à plat au congélateur.

La veille du repas, laisser décongeler le sac au réfrigérateur.

Au moment de la cuisson, transvider la préparation dans la mijoteuse. Ajouter 250 ml (1 tasse) d'eau. Couvrir et cuire à faible intensité de 8 à 9 heures.

PAR PORTION	
Calories	473
Protéines	50 g
Matières grasses	15 g
Glucides	32 g
Fibres	4 g
Fer	6 mg
Calcium	77 mg
Sodium	1036 mg

Astuce 5•15

La bonne découpe de bœuf pour la mijoteuse

Excellente source de protéines, de potassium, de zinc et de certaines vitamines du complexe B, le bœuf est aussi une bonne source de fer et de phosphore. Toutefois, c'est également une source importante de gras saturés et de cholestérol. Pour la mijoteuse, il est préférable d'acheter des découpes coriaces qui s'attendriront à la cuisson (paleron, collier, jarret, rôti de palette…), lesquelles sont moins tendres, mais plus économiques ; parfait pour une cuisson lente à feu doux !

Casserole de pois chiches et chorizo

Préparation : **15 minutes** • Cuisson à faible intensité : **5 heures** • Quantité : **6 portions**

Chorizo piquant ❶
coupé en grosses
tranches
150 g (⅓ de lb)

Pois chiches ❷
rincés et égouttés
1 boîte de 540 ml

Tomates en dés ❸
1 boîte de 796 ml

Laurier ❹
4 feuilles

Piment d'Espelette ❺
7,5 ml (½ c. à soupe)

PRÉVOIR AUSSI :
➤ **1 gros oignon**
haché

FACULTATIF :
➤ **Ail**
4 gousses pelées et
hachées finement

Préparation

Dans un grand sac hermétique, déposer le chorizo,
les pois chiches et les tomates en dés. Secouer.

Ajouter le laurier, le piment d'Espelette, l'oignon et,
si désiré, l'ail. Fermer le sac, puis secouer. Retirer l'air
du sac et sceller.

Déposer le sac à plat au congélateur.

La veille du repas, laisser décongeler le sac au réfrigérateur.

Au moment de la cuisson, transvider la préparation dans la
mijoteuse. Couvrir et cuire à faible intensité de 5 à 6 heures.

PAR PORTION	
Calories	222
Protéines	14 g
Matières grasses	8 g
Glucides	27 g
Fibres	4 g
Fer	4 mg
Calcium	92 mg
Sodium	657 mg

À découvrir

Le piment d'Espelette

Originaire d'un village du Pays basque dont il tire son nom, le piment
d'Espelette est utilisé depuis des siècles dans la cuisine de ce terroir
français. En plus de relever plats de viande ou de volaille, pâtés et
autres, ce condiment au goût aussi relevé que celui du poivre noir
rehausse agréablement les plats de poisson... et même les desserts !
Ayant longuement séché au soleil, il exhale un parfum unique en son
genre. On le trouve au supermarché et dans les épiceries fines.

Côtelettes de porc aux pommes et patates douces

Préparation : **15 minutes** • Cuisson à faible intensité : **6 heures** • Quantité : **4 portions**

Préparation

Dans un grand bol, mélanger le vinaigre avec la cassonade, les patates douces, les pommes, les côtelettes de porc et l'oignon rouge. Saler et poivrer.

Transférer la préparation dans un grand sac hermétique. Retirer l'air du sac et sceller.

Déposer le sac à plat au congélateur.

La veille du repas, laisser décongeler le sac au réfrigérateur.

Au moment de la cuisson, transvider la préparation dans la mijoteuse. Couvrir et cuire à faible intensité de 6 à 7 heures.

PAR PORTION	
Calories	344
Protéines	25 g
Matières grasses	5 g
Glucides	50 g
Fibres	5 g
Fer	2 mg
Calcium	70 mg
Sodium	120 mg

Option santé

La patate douce

Cette recette est une excellente façon d'intégrer la délicieuse patate douce au menu ! Nutritive, sa chair orangée regorge de vitamines et de minéraux. Elle est même une excellente source de vitamine A, un composé antioxydant qui joue un rôle important dans la santé des yeux et de la peau. Nourrissante, la patate douce est aussi plus riche en fibres et plus sucrée que la pomme de terre ordinaire. Faites changement et cuisinez la patate douce au lieu de la pomme de terre dans vos recettes !

Vinaigre balsamique 1
60 ml (¼ de tasse)

Cassonade 2
80 ml (⅓ de tasse)

3 patates douces 3
pelées et coupées
en cubes

3 pommes Gala 4
pelées et coupées
en quartiers

Porc 5
4 côtelettes de 2,5 cm
(1 po) d'épaisseur

PRÉVOIR AUSSI :
➤ ½ **oignon rouge**
coupé en quartiers

3 demi-poivrons
de couleurs variées ❶

Poulet ❷
4 poitrines sans peau
coupées en deux
sur la longueur

1 brocoli ❸
coupé en petits
bouquets

(ou ¼ tasse)

Sirop d'érable ❹
125 ml (½ tasse)

Vinaigre de cidre ❺
30 ml (2 c. à soupe)

1 c à soupe de soya savec

PRÉVOIR AUSSI :
➤ **2 petits**
oignons rouges

➤ **Ail**
haché
15 ml (1 c. à soupe)

FACULTATIF :
➤ **Fines herbes au choix**
hachées
60 ml (¼ de tasse)

Poulet glacé à l'érable

Préparation : **15 minutes** • Cuisson : **30 minutes** • Quantité : **4 portions**

Préparation

Émincer les poivrons et couper les oignons rouges
en quartiers.

Dans un grand sac hermétique, déposer les poitrines
de poulet, le brocoli, les poivrons, les oignons rouges,
le sirop d'érable, le vinaigre de cidre, l'ail et, si désiré, les
fines herbes. Saler et poivrer. Fermer le sac et secouer
afin de bien enrober les ingrédients de marinade. Retirer
l'air du sac et sceller.

Déposer le sac à plat au congélateur.

La veille du repas, laisser décongeler le sac
au réfrigérateur.

Au moment de la cuisson, préchauffer le four
à 205 °C (400 °F).

Transvider la préparation dans un plat de cuisson.
Cuire au four de 30 à 35 minutes, jusqu'à ce que l'intérieur de la chair du poulet ait perdu sa teinte rosée.

PAR PORTION	
Calories	373
Protéines	43 g
Matières grasses	3 g
Glucides	43 g
Fibres	2 g
Fer	3 mg
Calcium	125 mg
Sodium	128 mg

À découvrir

Le sirop d'érable

Saviez-vous que le sirop d'érable renferme 54 composés antioxydants, dont une forte concentration de
polyphénols ? À ce jour, 63 types de polyphénols ont
été repérés dans le sirop, dont le « québécol », ainsi
nommé en l'honneur du Québec. Ils permettraient de
lutter contre les radicaux libres pouvant causer des maladies cardiovasculaires et inflammatoires. Les antioxydants que
contient le sirop d'érable auraient également un rôle protecteur
contre le diabète de type 2.

4 oz chicken + ¼ lb ¼ cups syrup
+ ½ cup of rice = 10 pts/portion

Assaisonnements à fajitas
1 sachet de 35 g
①

Lime
30 ml (2 c. à soupe) de jus
②

3 demi-poivrons
de couleurs variées émincés
③

2 petits oignons rouges
émincés
④

Saumon
675 g (environ 1 ½ lb) de filet, la peau enlevée et coupé en cubes
⑤

PRÉVOIR AUSSI :
➤ **Huile d'olive**
30 ml (2 c. à soupe)

➤ **Coriandre**
45 ml (3 c. à soupe) de feuilles

Saumon à la fajitas

Préparation : **15 minutes** • Cuisson : **20 minutes** • Quantité : **4 portions**

Préparation

Dans un bol, mélanger l'huile d'olive avec les assaisonnements à fajitas, le jus de lime et la coriandre.

Transvider la marinade dans un grand sac hermétique. Ajouter les poivrons, les oignons rouges et les cubes de saumon. Fermer le sac et secouer afin d'enrober les ingrédients d'assaisonnements. Retirer l'air du sac et sceller.

Déposer le sac à plat au congélateur.

La veille du repas, laisser décongeler le sac au réfrigérateur.

Au moment de la cuisson, préchauffer le four à 205 °C (400 °F).

Sur une plaque de cuisson, étaler la préparation. Cuire au four de 20 à 25 minutes.

Si désiré, servir la préparation sur les tortillas.

PAR PORTION	
Calories	668
Protéines	41 g
Matières grasses	34 g
Glucides	46 g
Fibres	3 g
Fer	2 mg
Calcium	38 mg
Sodium	1 276 mg

Idée pour accompagner

Crème sure parfumée

Mélanger 80 ml (⅓ de tasse) de crème sure avec 60 ml (¼ de tasse) de mayonnaise, 30 ml (2 c. à soupe) de ketchup et de 2 à 3 gouttes de tabasco. Saler.

FACULTATIF :
➤ **8 petites tortillas**

Sauce soya
45 ml (3 c. à soupe)

1

Citron
30 ml (2 c. à soupe)
de jus

2

Vinaigre balsamique
15 ml (1 c. à soupe)

3

Cumin
5 ml (1 c. à thé)
de grains

4

Porc
1 filet de 750 g
(1 ⅔ lb), membrane
blanche enlevée

5

PRÉVOIR AUSSI :
➤ **Huile d'olive**
60 ml (¼ de tasse) *(ou 1 c à soupe)*

Filet de porc méchoui

Préparation : **15 minutes** • Cuisson : **25 minutes** • Quantité : **4 portions**

Préparation

Dans un sac hermétique, déposer la sauce soya, le jus de citron, le vinaigre balsamique, les grains de cumin et l'huile d'olive. Fermer le sac et secouer. Ajouter le filet de porc, puis fermer le sac et secouer de nouveau pour bien enrober le porc de marinade. Retirer l'air du sac et sceller.

Déposer le sac à plat au congélateur.

La veille du repas, laisser décongeler le sac au réfrigérateur.

Au moment de la cuisson, préchauffer le four à 205 °C (400 °F).

Sur une plaque de cuisson, déposer la préparation. Cuire au four de 25 à 30 minutes.

Transférer le filet de porc dans une assiette et couvrir d'une feuille de papier d'aluminium, sans serrer. Laisser reposer quelques minutes avant de trancher.

PAR PORTION	
Calories	234
Protéines	42 g
Matières grasses	6 g
Glucides	1 g
Fibres	0 g
Fer	2 mg
Calcium	13 mg
Sodium	258 mg

Idée pour accompagner

Salade de chou à la lime et graines de pavot

Dans un saladier, mélanger 60 ml (¼ de tasse) d'huile de sésame (non grillé) avec 30 ml (2 c. à soupe) de jus de lime, 30 ml (2 c. à soupe) de miel, 15 ml (1 c. à soupe) de zestes de lime et 15 ml (1 c. à soupe) de graines de pavot. Saler et poivrer. Incorporer le contenu de 1 sac de mélange de légumes pour salade de chou de 454 g et 60 ml (¼ de tasse) de persil haché.

Bouillon de poulet
250 ml (1 tasse) **1**

Pesto aux tomates séchées **2**
du commerce
80 ml (⅓ de tasse)

Crème à cuisson 15 % **3**
125 ml (½ tasse)

Basilic **4**
émincé
60 ml (¼ de tasse)

Poulet **5**
4 poitrines sans peau

PRÉVOIR AUSSI :
➤ **1 oignon**
haché

➤ **Ail**
haché
15 ml (1 c. à soupe)

FACULTATIF :
➤ **Câpres**
15 ml (1 c. à soupe)

Poitrines de poulet à la crème de tomate

Préparation : **15 minutes** • Cuisson : **20 minutes** • Quantité : **4 portions**

Préparation

Dans un bol, fouetter le bouillon avec le pesto, la crème, le basilic, l'oignon, l'ail et, si désiré, les câpres. Saler et poivrer. Verser la préparation dans un grand sac hermétique. Ajouter les poitrines de poulet. Fermer le sac et secouer afin de bien enrober les poitrines de marinade. Retirer l'air du sac et sceller.

Déposer le sac à plat au congélateur.

La veille du repas, laisser décongeler le sac au réfrigérateur.

Au moment de la cuisson, préchauffer le four à 180 °C (350 °F).

Verser la préparation dans un plat de cuisson carré de 20 cm (8 po). Cuire au four de 20 à 25 minutes, jusqu'à ce que l'intérieur de la chair du poulet ait perdu sa teinte rosée.

PAR PORTION	
Calories	390
Protéines	42 g
Matières grasses	20 g
Glucides	8 g
Fibres	2 g
Fer	1 mg
Calcium	59 mg
Sodium	534 mg

Version maison

Pesto aux tomates séchées

Dans le contenant du mélangeur, réduire en purée 250 ml (1 tasse) de tomates séchées (conservées dans l'huile) émincées, 2 gousses d'ail, 5 ml (1 c. à thé) de thym haché et 125 ml (½ tasse) de noix de pin grillées. Ajouter 60 ml (¼ de tasse) d'huile d'olive et mélanger jusqu'à l'obtention d'une texture onctueuse et homogène. Ajouter 125 ml (½ tasse) de parmesan râpé et mélanger quelques secondes. Saler et poivrer. Cette recette donne 500 ml (2 tasses) de pesto.

Sauce demi-glace ❶
2 sachets de
34 g chacun

Vin rouge ❷
250 ml (1 tasse)

Mini-carottes ❸
500 ml (2 tasses)

Pommes de terre parisiennes ❹
1 paquet de 500 g

Bœuf ❺
650 g (environ 1 ½ lb)
de steak de surlonge
coupé en lanières

PRÉVOIR AUSSI :
➤ **Bouillon de bœuf**
sans sel
310 ml (1 ¼ tasse)

➤ **Thym**
1 tige hachée

Bœuf braisé au vin rouge

Préparation : **15 minutes** • Cuisson : **30 minutes** • Quantité : **de 4 à 6 portions**

Préparation

Dans un bol, mélanger le contenu des sachets de sauce demi-glace avec le vin rouge, le bouillon de bœuf et le thym. Poivrer.

Transvider la préparation au vin dans un grand sac hermétique. Ajouter les mini-carottes, les pommes de terre et le bœuf. Fermer le sac et secouer afin d'enrober les ingrédients de marinade. Retirer l'air du sac et sceller.

Déposer le sac à plat au congélateur.

La veille du repas, laisser décongeler le sac au réfrigérateur.

Au moment de la cuisson, préchauffer le four à 205 °C (400 °F).

Transvider la préparation dans un plat de cuisson carré de 20 cm (8 po). Couvrir le plat d'une feuille de papier d'aluminium et cuire au four de 30 à 35 minutes.

PAR PORTION	
Calories	301
Protéines	29 g
Matières grasses	6 g
Glucides	26 g
Fibres	2 g
Fer	3 mg
Calcium	62 mg
Sodium	883 mg

À découvrir

Les pommes de terre parisiennes

Pelées et précuites, ces petites boules de pommes de terre sont les candidates parfaites pour les plats express et les déjeuners du weekend. Une fois rincées, faites-les revenir entières, émincées ou en dés dans la poêle ou faites-les griller au four de 8 à 10 minutes à 190 °C (375 °F). Vous les trouverez dans la section des fruits et légumes réfrigérés de votre supermarché.

Orange ①
125 ml (½ tasse) de jus

Bouillon de légumes ②
125 ml (½ tasse)

Miel ③
30 ml (2 c. à soupe)

Gingembre ④
haché
15 ml (1 c. à soupe)

Tofu ferme ⑤
1 bloc de de 454 g

PRÉVOIR AUSSI:
➤ **Ail**
haché
15 ml (1 c. à soupe)
➤ **2 oignons verts**
hachés

FACULTATIF:
➤ **Thym**
haché
15 ml (1 c. à soupe)

Tofu au miel et gingembre rôti sur la plaque

Préparation : **15 minutes** • Cuisson : **10 minutes** • Quantité : **4 portions**

Préparation

Dans un bol, mélanger le jus d'orange avec le bouillon de légumes, le miel, le gingembre, l'ail, les oignons verts et, si désiré, le thym.

Couper le bloc de tofu en huit tranches sur la largeur. Déposer dans un grand sac hermétique et couvrir de marinade. Fermer le sac et secouer afin de bien enrober le tofu de marinade. Retirer l'air du sac et sceller.

Déposer le sac à plat au congélateur.

La veille du repas, laisser décongeler le sac au réfrigérateur.

Au moment de la cuisson, préchauffer le four à 205 °C (400 °F).

Égoutter le tofu en prenant soin de réserver la marinade.

Sur une plaque de cuisson tapissée de papier parchemin, déposer les tranches de tofu. Couvrir le tofu de la marinade réservée.

Cuire au four de 10 à 12 minutes.

PAR PORTION	
Calories	137
Protéines	17 g
Matières grasses	8 g
Glucides	16 g
Fibres	0 g
Fer	2 mg
Calcium	189 mg
Sodium	112 mg

Idée pour accompagner

Haricots à l'orange

Sur une plaque de cuisson tapissée de papier parchemin, déposer 200 g (environ ½ lb) de haricots verts et jaunes. Couper 1 orange en demi-rondelles, puis déposer les demi-rondelles sur les haricots. Cuire au four de 10 à 12 minutes à 205 °C (400 °F). À la sortie du four, parsemer de 10 ml (2 c. à thé) de graines de sésame.

Poulet
4 cuisses sans peau
coupées en deux ❶

1 poivron vert ❷
coupé en cubes

3 tomates ❸
coupées en dés

Paprika fumé ❹
15 ml (1 c. à soupe)

Crème à cuisson 15 % ❺
125 ml (½ tasse)

PRÉVOIR AUSSI :
➤ **16 oignons perlés**
➤ **Bouillon de poulet**
   250 ml (1 tasse)

Cuisses de poulet au paprika fumé

Préparation : **15 minutes** • Cuisson : **46 minutes** • Quantité : **4 portions**

Préparation

Dans un grand sac hermétique, déposer les cuisses de poulet, le poivron, les tomates, le paprika, les oignons perlés et le bouillon de poulet. Fermer le sac et secouer. Retirer l'air du sac et sceller.

Déposer le sac à plat au congélateur.

La veille du repas, laisser décongeler le sac au réfrigérateur.

Au moment de la cuisson, préchauffer le four à 190° (375°F).

Dans un plat de cuisson, déposer la préparation. Cuire au four de 40 à 45 minutes, jusqu'à ce que l'intérieur de la chair du poulet ait perdu sa teinte rosée et que la chair se détache facilement de l'os.

Ajouter la crème dans le plat de cuisson et prolonger la cuisson de 6 à 7 minutes.

Répartir les cuisses de poulet et les légumes dans les assiettes. Napper chaque portion de sauce à la crème.

PAR PORTION	
Calories	321
Protéines	29 g
Matières grasses	18 g
Glucides	12 g
Fibres	3 g
Fer	2 mg
Calcium	68 mg
Sodium	365 mg

Idée pour accompagner

Nouilles aux œufs à la ciboulette et au beurre

Dans une casserole d'eau bouillante salée, cuire 250 g (environ ½ lb) de nouilles aux œufs *al dente*. Égoutter. Dans la même casserole, chauffer 30 ml (2 c. à soupe) de beurre jusqu'à ce qu'il commence à dorer. Retirer du feu. Ajouter 30 ml (2 c. à soupe) de ciboulette hachée et les nouilles. Poivrer et remuer.

10 œufs ❶

Crème à cuisson 15 % ❷
80 ml (⅓ de tasse)

Cheddar fort ❸
râpé
250 ml (1 tasse)

Jambon ❹
coupé en dés
375 ml (1 ½ tasse)

Fines herbes ❺
fraîches au choix
hachées
80 ml (⅓ de tasse)

PRÉVOIR AUSSI :
➤ **Ail**
haché
15 ml (1 c. à soupe)
➤ **Huile d'olive**
30 ml (2 c. à soupe)

Frittata jambon, cheddar et fines herbes

Préparation : **15 minutes** • Cuisson : **30 minutes** • Quantité : **4 portions**

Préparation

Dans un grand bol, fouetter les œufs avec la crème, le cheddar, le jambon, les fines herbes, l'ail et l'huile. Saler et poivrer. Transvider la préparation dans un grand sac hermétique. Retirer l'air du sac et sceller.

Déposer le sac à plat au congélateur.

La veille du repas, laisser décongeler le sac au réfrigérateur.

Au moment de la cuisson, préchauffer le four à 180 °C (350 °F).

Beurrer un plat de cuisson carré de 20 cm (8 po) ou quelques ramequins, puis y verser la préparation. Cuire au four de 30 à 35 minutes, jusqu'à ce que la préparation soit prise.

PAR PORTION	
Calories	443
Protéines	29 g
Matières grasses	34 g
Glucides	6 g
Fibres	1 g
Fer	3 mg
Calcium	215 mg
Sodium	982 mg

Bon à savoir

La différence entre l'omelette et la frittata

Il est facile de confondre l'omelette et la frittata, puisque les deux se composent d'œufs auxquels on ajoute d'autres ingrédients. Qu'est-ce qui les distingue ? Le mode de préparation ! D'origine italienne, la frittata est cuite au four. Plutôt épaisse, elle ressemble à une tortilla espagnole. Quant à l'omelette, elle est entièrement cuite à la poêle à feu moyen-élevé, puis pliée en deux de manière à couvrir la garniture déposée sur les œufs en cours de cuisson

Bœuf ❶
600 g (environ 1 ⅓ lb)
de cubes à brochettes

1 courgette verte ❷
coupée en cubes

1 poivron rouge ❸
coupé en cubes

12 champignons ❹

Sauce barbecue ❺
310 ml (1 ¼ tasse)

PRÉVOIR AUSSI :
➤ **1 oignon**
coupé en cubes

Brochettes de bœuf et légumes, sauce barbecue

Préparation : **15 minutes** • Trempage (facultatif) : **30 minutes** • Cuisson : **12 minutes**
Quantité : **4 portions**

Préparation

Dans un grand sac hermétique, déposer les cubes de bœuf, la courgette, le poivron, les champignons et l'oignon. Retirer l'air du sac et sceller.

Déposer le sac à plat au congélateur.

La veille du repas, laisser décongeler le sac au réfrigérateur.

Si les brochettes utilisées sont en bambou, les faire tremper dans l'eau environ 30 minutes avant la cuisson.

Au moment de la cuisson, préchauffer le four à 220 °C (425 °F).

Piquer les cubes de bœuf sur des brochettes en les faisant alterner avec les cubes de légumes et les champignons.

Déposer les brochettes sur une plaque de cuisson tapissée de papier parchemin.

Cuire au four de 12 à 15 minutes, en retournant les brochettes à mi-cuisson et en les badigeonnant avec la moitié de la sauce barbecue. Servir avec la sauce restante.

PAR PORTION	
Calories	410
Protéines	35 g
Matières grasses	12 g
Glucides	38 g
Fibres	2 g
Fer	4 mg
Calcium	37 mg
Sodium	1 021 mg

Idée pour accompagner

Asperges et amandes rôties

Dans un bol, mélanger 12 asperges avec 15 ml (1 c. à soupe) de beurre ramolli. Saler et poivrer. Déposer les asperges sur une plaque de cuisson tapissée de papier parchemin. Faire rôtir au four de 4 à 5 minutes à 205 °C (400 °F). Parsemer de 125 ml (½ tasse) d'amandes tranchées et poursuivre la cuisson de 4 à 5 minutes.

Aneth
haché
30 ml (2 c. à soupe) ❶

Citron ❷
15 ml (1 c. à soupe)
de jus + 15 ml (1 c. à
soupe) de zestes

20 tomates cerises de ❸
couleurs variées
coupées en deux

Pancetta ❹
6 tranches coupées
en morceaux

Crevettes moyennes ❺
(calibre 31/40)
crues et décortiquées
1 sac de 340 g

PRÉVOIR AUSSI :
➤ **Huile d'olive**
60 ml (¼ de tasse)

➤ **Ail**
haché
5 ml (1 c. à thé)

FACULTATIF :
➤ **Piment d'Espelette**
10 ml (2 c. à thé)

➤ **Ciboulette**
hachée
45 ml (3 c. à soupe)

Crevettes et pancetta aux tomates cerises

Préparation : **15 minutes** • Cuisson : **12 minutes** • Quantité : **4 portions**

Préparation

Dans un bol, fouetter l'huile d'olive avec l'aneth, le jus de citron, les zestes de citron, l'ail et, si désiré, le piment d'Espelette.

Transvider la préparation à l'huile d'olive dans un grand sac hermétique. Ajouter les tomates cerises, la pancetta, les crevettes et, si désiré, la ciboulette. Saler. Fermer le sac et secouer afin de bien enrober les ingrédients de marinade. Retirer l'air du sac et sceller.

Déposer le sac à plat au congélateur.

La veille du repas, laisser décongeler le sac au réfrigérateur.

Au moment de la cuisson, préchauffer le four à 205 °C (400 °F).

Répartir la préparation sur une plaque de cuisson tapissée de papier parchemin. Cuire au four de 12 à 15 minutes.

PAR PORTION	
Calories	228
Protéines	15 g
Matières grasses	17 g
Glucides	5 g
Fibres	2 g
Fer	1 mg
Calcium	60 mg
Sodium	592 mg

À découvrir

La pancetta

Cette savoureuse charcuterie d'origine italienne est préparée à partir de poitrine de porc salée et séchée pendant trois mois, puis enroulée de manière à former un gros saucisson. D'apparence semblable à celle du bacon, elle est la plupart du temps découpée en fines tranches et peut se déguster froide ou cuite. Vedette des pâtes à la carbonara, la pancetta rehausse également les soupes, les pizzas et les sauces de délicieuse façon.

Gelée de pommes ①
125 ml (½ tasse)

Ketchup ②
80 ml (⅓ de tasse)

Sauce Worcestershire ③
30 ml (2 c. à soupe)

Vinaigre de cidre ④
30 ml (2 c. à soupe)

Poulet ⑤
32 ailes

PRÉVOIR AUSSI :
➤ Poudre d'oignons
30 ml (2 c. à soupe)

➤ Ail
haché
15 ml (1 c. à soupe)

FACULTATIF :
➤ Piment d'Espelette
5 ml (1 c. à thé)

Ailes de poulet à la gelée de pommes

Préparation : **15 minutes** • Cuisson : **20 minutes** • Quantité : **de 6 à 8 portions**

Préparation

Dans un grand sac hermétique, déposer la gelée de pommes, le ketchup, la sauce Worcestershire, le vinaigre de cidre, la poudre d'oignons, l'ail, un peu d'huile d'olive et, si désiré, le piment d'Espelette. Fermer le sac et secouer. Ajouter les ailes de poulet et fermer le sac. Secouer de nouveau afin de bien enrober les ailes de sauce. Retirer l'air du sac et sceller.

Déposer le sac à plat au congélateur.

La veille du repas, laisser décongeler le sac au réfrigérateur.

Au moment du repas, préchauffer le four à 205 °C (400 °F).

Sur une plaque de cuisson tapissée de papier parchemin, déposer les ailes de poulet. Cuire au four de 20 à 25 minutes.

PAR PORTION	
Calories	524
Protéines	36 g
Matières grasses	33 g
Glucides	19 g
Fibres	0 g
Fer	2 mg
Calcium	39 mg
Sodium	303 mg

Idée pour accompagner

Frites maison légères au piment d'Espelette

Couper en bâtonnets de 4 à 5 pommes de terre et déposer dans un bol. Mélanger avec 30 ml (2 c. à soupe) d'huile de canola, 5 ml (1 c. à thé) de piment d'Espelette et 10 ml (2 c. à thé) de thym haché. Saler. Sur une plaque de cuisson tapissée d'une feuille de papier parchemin, déposer les bâtonnets, sans les superposer. Cuire au four de 20 à 25 minutes à 205 °C (400 °F).

Edamames
375 ml (1 ½ tasse) **1**

Saumon **2**
1 filet de 675 g
(1 ½ lb), la peau enle-
vée et coupé en cubes

**Vinaigrette miel
et moutarde** **3**
du commerce
180 ml (¾ de tasse)

1 poivron jaune **4**
émincé

18 tomates cerises **5**

PRÉVOIR AUSSI :
➤ **1 petit oignon
rouge**
coupé en quartiers

➤ **1 citron**
coupé en quartiers

FACULTATIF :
➤ **12 asperges**
coupées en morceaux

➤ **Menthe**
12 petites feuilles

Saumon, edamames
et légumes sur la plaque

Préparation : **15 minutes** • Cuisson : **12 minutes** • Quantité : **de 4 à 6 portions**

Préparation

Dans une casserole d'eau bouillante salée, cuire les edamames 3 minutes. Égoutter et laisser tiédir.

Dans un grand sac hermétique, déposer les cubes de saumon
et la moitié de la vinaigrette. Saler et poivrer. Fermer le sac
et secouer afin d'enrober le saumon de vinaigrette. Retirer
l'air du sac et sceller.

Dans un deuxième grand sac hermétique, déposer le poivron,
les tomates cerises, l'oignon rouge et, si désiré, les asperges.
Ajouter le reste de la vinaigrette. Saler et poivrer. Fermer le
sac et secouer afin d'enrober les ingrédients de vinaigrette.
Retirer l'air du sac et sceller.

Dans un troisième sac hermétique, déposer les edamames.
Retirer l'air du sac et sceller.

Déposer les sacs à plat au congélateur.

La veille du repas, laisser décongeler les sacs au réfrigérateur.

Au moment de la cuisson, préchauffer le four à 205 °C
(400 °F).

Sur une plaque de cuisson tapissée de papier parchemin,
déposer les cubes de saumon. Cuire au four de 12 à 15 minutes, jusqu'à ce que le saumon se défasse à la fourchette.

Sur une autre plaque de cuisson, déposer la préparation
aux légumes contenue dans le deuxième sac. Cuire au four
de 10 à 12 minutes. Environ 3 minutes avant la fin de la
cuisson des légumes, ajouter les edamames contenus dans
le troisième sac.

Répartir les légumes dans les assiettes. Garnir chaque
portion de cubes de saumon. Servir avec les quartiers
de citron. Si désiré, parsemer de feuilles de menthe.

PAR PORTION	
Calories	489
Protéines	34 g
Matières grasses	32 g
Glucides	20 g
Fibres	5 g
Fer	4 mg
Calcium	169 mg
Sodium	293 mg

Version maison

Vinaigrette miel et moutarde

Mélanger 125 ml (½ tasse) d'huile d'olive avec 30 ml
(2 c. à soupe) de jus de citron, 30 ml (2 c. à soupe) de
ciboulette hachée, 15 ml (1 c. à soupe) de miel, 15 ml
(1 c. à soupe) de moutarde à l'ancienne et 15 ml
(1 c. à soupe) de sarriette hachée. Saler et poivrer.

Origan ❶
haché
30 ml (2 c. à soupe)

Citron ❷
15 ml (1 c. à soupe)
de jus

Ail ❸
haché
15 ml (1 c. à soupe)

Porc ❹
1 filet de 450 g (1 lb)
coupé en petits cubes

4 pitas grecs ❺

Gyros au porc

Préparation : **15 minutes** • Trempage (facultatif) : **30 minutes** • Cuisson : **10 minutes** • Quantité : **4 portions**

Préparation

Dans un bol, fouetter l'huile avec l'origan, le jus de citron et l'ail. Saler et poivrer.

Transvider la marinade dans un grand sac hermétique. Ajouter les cubes de porc. Fermer le sac et secouer afin d'enrober les cubes de marinade. Retirer l'air du sac et sceller.

Déposer le sac à plat au congélateur.

La veille du repas, laisser décongeler le sac au réfrigérateur.

Si les brochettes utilisées sont en bambou, les faire tremper dans l'eau froide environ 30 minutes avant la cuisson.

Au moment de la cuisson, préchauffer le four à 180 °C (350 °F).

Égoutter les cubes de porc et jeter la marinade. Piquer les cubes de porc sur les brochettes.

Sur une plaque de cuisson tapissée de papier parchemin, déposer les brochettes. Cuire au four de 10 à 12 minutes, en retournant les brochettes à mi-cuisson.

Garnir les pitas de brochettes de porc, d'oignon rouge et, si désiré, de laitue, de tomates et de tzatziki (voir recette ci-dessous). Retirer les brochettes, puis rouler les pitas sur la garniture.

PAR PORTION	
Calories	419
Protéines	31 g
Matières grasses	10 g
Glucides	53 g
Fibres	3 g
Fer	4 mg
Calcium	84 mg
Sodium	451 mg

Idée pour accompagner

Tzatziki

Dans un bol, mélanger ½ concombre pelé, épépiné et râpé avec 15 ml (1 c. à soupe) de gros sel. Déposer dans une passoire et laisser dégorger 30 minutes. Remettre le concombre dans le bol et ajouter 1 gousse d'ail hachée, 250 ml (1 tasse) de yogourt grec nature et 15 ml (1 c. à soupe) d'huile d'olive. Saler et remuer.

PRÉVOIR AUSSI :
➤ **Huile d'olive**
30 ml (2 c. à soupe)
➤ **½ oignon rouge**
émincé

FACULTATIF :
➤ **Laitue frisée verte**
8 feuilles
➤ **2 tomates**
coupées en dés

3 poivrons ❶
de couleurs variées
émincés

Bouillon de poulet ❷
réduit en sodium
125 ml (½ tasse)

Ail ❸
haché
1 gousse

Morue ❹
4 pavés de 150 g
(⅓ de lb) chacun

Harissa ❺
ou sambal oelek
30 ml (2 c. à soupe)

PRÉVOIR AUSSI:
➤ **Huile d'olive**
15 ml (1 c. à soupe)

Morue et poivrons épicés

Préparation: **5 minutes** • Cuisson: **20 minutes** • Quantité: **4 portions**

Préparation

Dans un grand sac hermétique, déposer les poivrons, le bouillon de poulet, l'ail et l'huile d'olive. Fermer le sac et secouer. Retirer l'air du sac et sceller.

Dans un autre grand sac hermétique, déposer les pavés de morue et la harissa. Fermer le sac et secouer. Retirer l'air du sac et sceller.

Déposer les sacs à plat au congélateur.

La veille du repas, laisser décongeler les sacs au réfrigérateur.

Au moment de la cuisson, préchauffer le four à 205 °C (400 °F).

Sur une plaque de cuisson tapissée de papier parchemin, déposer la préparation aux poivrons. Cuire au four 5 minutes.

Déposer les pavés de morue sur les poivrons. Si désiré, saupoudrer de fleur de sel. Cuire au four 15 minutes, jusqu'à ce que la chair du poisson se défasse facilement à la fourchette.

Si désiré, arroser de jus de citron au moment de servir.

À découvrir

La harissa

La harissa est une sauce très relevée à base de piments forts broyés, d'assaisonnements et d'huile d'olive. Elle est associée à la cuisine maghrébine, dont elle rehausse les tajines et couscous. Utilisez-la avec modération afin de ne pas masquer le goût des autres ingrédients qui composent vos plats... et de ne pas causer de mauvaise surprise à votre tablée!

PAR PORTION	
Calories	171
Protéines	16 g
Matières grasses	4 g
Glucides	8 g
Fibres	1,4 g
Fer	1 mg
Calcium	26 mg
Sodium	378 mg

FACULTATIF:
➤ **Fleur de sel**
au goût
➤ **Citron**
15 ml (1 c. à soupe) de jus

Crème de champignons condensée
réduite en sodium
2 boîtes de 284 ml
chacune

1

Mélange de quatre fromages italiens râpés
500 ml (2 tasses)

2

Riz
cuit
1,25 litre (5 tasses)

3

Brocoli
coupé en petits bouquets
500 ml (2 tasses)

4

Poulet
coupé en dés
500 ml (2 tasses)

5

Riz au poulet et brocoli

Préparation : **15 minutes** • Cuisson : **25 minutes** • Quantité : **4 portions**

Préparation

Dans un grand bol, mélanger la crème de champignons avec le mélange de fromages râpés. Ajouter le riz cuit, le brocoli, le poulet et 250 ml (1 tasse) d'eau. Saler et poivrer. Bien mélanger.

Dans un grand sac hermétique, déposer la préparation. Retirer l'air du sac et sceller.

Déposer le sac à plat au congélateur.

La veille du repas, laisser décongeler le sac au réfrigérateur.

Au moment de la cuisson, préchauffer le four à 180°C (350°F).

Dans un plat de cuisson de 33 cm x 23 cm (13 po x 9 po), verser la préparation et égaliser la surface. Cuire au four de 25 à 30 minutes, jusqu'à ce que l'intérieur de la chair du poulet ait perdu sa teinte rosée.

PAR PORTION	
Calories	692
Protéines	42 g
Matières grasses	20 g
Glucides	84 g
Fibres	1 g
Fer	1 mg
Calcium	399 mg
Sodium	805 mg

Astuce 5•15

Congelez votre riz cuit pour faire des réserves !

Du riz prêt en 5 minutes, ça vous paraît impossible ? Pour réaliser ce tour de force, pensez congélation. Eh oui ! Dans un sac hermétique, le riz cuit se conserve de six à huit mois. N'hésitez donc pas à doubler vos recettes et à congeler les surplus en prévision des soupers pressés. Le matin, avant de partir pour le travail, laissez dégeler les portions au réfrigérateur. Au retour, il vous suffira de réchauffer le riz au micro-ondes en y ajoutant un peu de liquide au besoin. Si vous optez pour un riz aux légumes, ajoutez-le dans la poêle quelques minutes avant la fin de la cuisson des légumes.

Épices à steak ❶
15 ml (1 c. à soupe)

Miel ❷
45 ml (3 c. à soupe)

8 saucisses de Toulouse ❸

Mini-carottes ❹
250 ml (1 tasse)

3 pommes Gala ❺
épluchées et coupées en quartiers

PRÉVOIR AUSSI :
➤ **Huile d'olive**
30 ml (2 c. à soupe)

➤ 1 **oignon**
émincé

Saucisses et pommes sur la plaque

Préparation : **15 minutes** • Cuisson : **30 minutes** • Quantité : **4 portions**

Préparation

Dans un bol, mélanger l'huile avec les épices à steak et le miel.

Transvider la préparation au miel dans un grand sac hermétique. Ajouter les saucisses, les mini-carottes, les pommes et l'oignon. Saler et poivrer. Fermer le sac et secouer afin de bien enrober les aliments. Retirer l'air du sac et sceller.

Déposer le sac à plat au congélateur.

La veille du repas, laisser décongeler le sac au réfrigérateur.

Au moment de la cuisson, préchauffer le four à 205 °C (400 °F).

Sur une plaque de cuisson, étaler la préparation. Cuire au four de 30 à 35 minutes.

PAR PORTION	
Calories	553
Protéines	21 g
Matières grasses	37 g
Glucides	36 g
Fibres	3 g
Fer	2 mg
Calcium	76 mg
Sodium	1 163 mg

Pour varier

Choisir différentes saucisses

Pour renouveler la saveur de cette recette, remplacez les saucisses de Toulouse par d'autres variétés de saucisses ! Que vous optiez pour un mélange de différentes chairs (porc et veau de lait du Québec, porc et bœuf) ou pour des versions aromatisées (fines herbes, épinards, miel et ail, érable et chipotle, bacon et cheddar), le choix ne manque pas. Essayez aussi les saucisses 100 % canard (orange et canneberge, tomates séchées et ail), les saucisses cocktail cuites (sanglier et porc, bison) ou encore les merguez.

Citron
❶
60 ml (¼ de tasse)
de jus

Thym
❷
haché
5 ml (1 c. à thé)

Cumin
❸
5 ml (1 c. à thé)

1 échalote sèche
❹
(française)
hachée

Bœuf
❺
ou agneau
675 g (environ 1 ½ lb)
de cubes pour
brochettes

PRÉVOIR AUSSI :
➤ **Huile d'olive**
15 ml (1 c. à soupe)

➤ **Ail**
1 gousse hachée

Kebabs de bœuf

Préparation : **15 minutes** • Trempage (facultatif) : **30 minutes**
Cuisson : **12 minutes** • Quantité : **4 portions**

Préparation

Dans un bol, fouetter l'huile d'olive avec le jus de citron, le thym, le cumin, l'échalote, l'ail et, si désiré, le piment de Cayenne.

Transvider la préparation à l'huile d'olive dans un grand sac hermétique. Ajouter les cubes de bœuf. Fermer le sac et secouer afin de bien enrober les cubes de bœuf de marinade. Retirer l'air du sac et sceller.

Déposer le sac à plat au congélateur.

La veille du repas, laisser décongeler le sac au réfrigérateur.

Si les brochettes utilisées sont en bambou, en faire tremper huit dans l'eau environ 30 minutes avant la cuisson.

Au moment de la cuisson, préchauffer le four à 220 °C (425 °F). Égoutter les cubes de bœuf et jeter la marinade.

Piquer les cubes de viande sur les brochettes.

Sur une plaque de cuisson tapissée de papier parchemin, déposer les brochettes. Cuire au four de 12 à 15 minutes, en retournant les brochettes à mi-cuisson.

Si désiré, servir les kebabs avec les pitas.

PAR PORTION	
Calories	473
Protéines	42 g
Matières grasses	18 g
Glucides	32 g
Fibres	1 g
Fer	5 mg
Calcium	61 mg
Sodium	412 mg

Idée pour accompagner

Sauce épicée à la tomate

Dans une casserole, mélanger 250 ml (1 tasse) de sauce tomate avec 80 ml (⅓ de tasse) d'eau, 15 ml (1 c. à soupe) d'huile d'olive, 15 ml (1 c. à soupe) de pâte de tomates et 1,25 ml (¼ de c. à thé) de piment de Cayenne. Saler. Porter à ébullition, puis laisser mijoter 10 minutes à feu doux.

FACULTATIF :
➤ **Piment de Cayenne**
1 pincée

➤ 4 à 8 **pitas**

136

Crème d'asperges prête à l'emploi
250 ml (1 tasse)

1

1 poivron orange **2**
coupé en dés

Estragon **3**
haché
30 ml (2 c. à soupe)

Assaisonnements cajun **4**
15 ml (1 c. à soupe)

Poulet **5**
4 poitrines
sans peau

Poulet à la crème d'asperges

Préparation : **15 minutes** • Cuisson : **20 minutes** • Quantité : **4 portions**

Préparation

Dans un bol, mélanger la crème d'asperges avec le poivron, l'estragon et les assaisonnements cajun.

Transvider la préparation à la crème d'asperges dans un grand sac hermétique. Ajouter les poitrines de poulet. Fermer le sac et secouer afin de bien enrober le poulet de sauce. Retirer l'air du sac et sceller.

Déposer le sac à plat au congélateur.

La veille du repas, laisser décongeler le sac au réfrigérateur.

Au moment de la cuisson, préchauffer le four à 205 °C (400 °F).

Au centre de quatre grandes feuilles de papier d'aluminium, déposer les poitrines de poulet. Répartir la préparation à la crème d'asperges sur chaque poitrine.

Replier les feuilles de manière à former des papillotes hermétiques. Déposer les papillotes sur une plaque de cuisson.

Cuire au four de 20 à 25 minutes, jusqu'à ce que l'intérieur de la chair du poulet ait perdu sa teinte rosée.

PAR PORTION	
Calories	228
Protéines	42 g
Matières grasses	4 g
Glucides	6 g
Fibres	1 g
Fer	1 mg
Calcium	20 mg
Sodium	284 mg

Idée pour accompagner

Haricots aux noix de pin

Dans une casserole d'eau bouillante salée, cuire 500 g (environ 1 lb) de haricots de 3 à 4 minutes. Égoutter. Dans une poêle, faire fondre 30 ml (2 c. à soupe) de beurre à feu moyen. Cuire 1 oignon émincé, 30 ml (2 c. à soupe) de noix de pin et 5 ml (1 c. à thé) d'ail haché de 2 à 3 minutes. Ajouter les haricots et cuire de 1 à 2 minutes. Saler, poivrer et remuer.

Pavés de saumon glacés à l'orange et romarin

Préparation : **10 minutes** • Cuisson : **18 minutes** • Quantité : **4 portions**

Orange ❶
250 ml (1 tasse) de jus

Échalotes sèches ❷
(françaises)
hachées
60 ml (¼ de tasse)

Miel ❸
45 ml (3 c. à soupe)

Romarin ❹
haché
15 ml (1 c. à soupe)

Saumon ❺
4 pavés de 180 g
(environ ⅓ de lb)
chacun et de 2,5 cm
(1 po) d'épaisseur,
la peau enlevée

PRÉVOIR AUSSI :
➤ **Huile d'olive**
30 ml (2 c. à soupe)
➤ **Fécule de maïs**
15 ml (1 c. à soupe)

FACULTATIF :
➤ **Ail**
haché
5 ml (1 c. à thé)

Préparation

Dans un grand sac hermétique, déposer le jus d'orange, les échalotes, le miel, le romarin, l'huile d'olive, la fécule de maïs et, si désiré, l'ail. Saler et poivrer. Fermer le sac et secouer. Ajouter les pavés de saumon dans le sac. Fermer le sac et secouer afin de bien enrober les pavés de marinade. Retirer l'air du sac et sceller.

Déposer le sac à plat au congélateur.

La veille du repas, laisser décongeler le sac au réfrigérateur.

Au moment de la cuisson, préchauffer le four à 205 °C (400 °F).

Déposer les filets de saumon et la marinade dans un plat de cuisson. Cuire au four de 18 à 20 minutes.

PAR PORTION	
Calories	530
Protéines	38 g
Matières grasses	31 g
Glucides	24 g
Fibres	0 g
Fer	1 mg
Calcium	31 mg
Sodium	109 mg

Idée pour accompagner

Couscous aux fines herbes

Dans un bol, mélanger 250 ml (1 tasse) de couscous avec 30 ml (2 c. à soupe) d'huile d'olive. Saler et poivrer. Verser 250 ml (1 tasse) de bouillon de poulet très chaud. Couvrir et laisser gonfler 5 minutes. Égrainer le couscous à l'aide d'une fourchette. Ajouter 30 ml (2 c. à soupe) de ciboulette hachée et 30 ml (2 c. à soupe) de persil haché. Remuer.

Préparation pour salades et trempettes ranch
1 sachet de 28 g

①

Paprika fumé
15 ml (1 c. à soupe)

②

Échalotes sèches
(françaises)
coupées en quartiers
125 ml (½ tasse)

③

Porc
8 côtelettes de longe de
90 g (environ 3 ¼ oz)
chacune

④

Choux de Bruxelles
300 g (⅔ de lb)

⑤

PRÉVOIR AUSSI :
➤ Huile d'olive
30 ml (2 c. à soupe)

Côtelettes de porc sauce ranch au paprika fumé

Préparation : **15 minutes** • Cuisson : **30 minutes** • Quantité : **4 portions**

Préparation

Dans un bol, mélanger l'huile avec la préparation pour salades et trempettes ranch, le paprika fumé et les échalotes. Saler et poivrer.

Transvider la préparation à l'huile dans un grand sac hermétique. Ajouter les côtelettes de porc et les choux de Bruxelles. Fermer le sac et secouer pour bien enrober les côtelettes et les choux de la préparation à l'huile. Retirer l'air du sac et sceller.

Déposer le sac à plat au congélateur.

La veille du repas, laisser décongeler le sac au réfrigérateur.

Au moment de la cuisson, préchauffer le four à 205 °C (400 °F).

Sur une plaque de cuisson, étaler la préparation. Cuire au four de 30 à 35 minutes.

PAR PORTION	
Calories	363
Protéines	42 g
Matières grasses	15 g
Glucides	15 g
Fibres	4 g
Fer	3 mg
Calcium	151 mg
Sodium	503 mg

Bon à savoir

Le chou de Bruxelles est plein de vertus !

Aussi petit soit-il, le chou de Bruxelles présente de très belles qualités nutritionnelles : il est riche en vitamine C, en potassium et en acide folique, en plus de renfermer beaucoup de fibres. Tout comme ses proches parents de la famille des crucifères (chou, épinards, navet...), il regorge d'antioxydants, qui sont d'efficaces protecteurs contre plusieurs maladies et cancers. Faites-les griller au four comme ici ou savourez-les croquants, en émincé, en salade froide, en gratin ou dans les plats mijotés !

Miel
180 ml (¾ de tasse)

Sauce soya
60 ml (¼ de tasse)

Ketchup
80 ml (⅓ de tasse)

Poulet
4 poitrines sans peau
émincées

Mélange de légumes
surgelés de style oriental
600 g
(environ 1 ⅓ lb)

PRÉVOIR AUSSI :
➤ **Huile de sésame**
(non grillé)
30 ml (2 c. à soupe)

➤ **Ail**
haché
15 ml (1 c. à soupe)

Poitrines de poulet miel et sésame

Préparation : **15 minutes** • Cuisson : **7 minutes** • Quantité : **4 portions**

Préparation

Dans un grand bol, mélanger le miel avec la sauce soya, le ketchup, l'huile de sésame et l'ail. Saler et poivrer.

Dans un grand sac de congélation, déposer les poitrines de poulet. Verser le tiers de la sauce dans le sac. Fermer le sac et secouer afin de bien enrober le poulet de marinade. Retirer l'air du sac et sceller.

Verser le reste de la sauce dans un autre sac de congélation. Fermer le sac, puis retirer l'air et sceller.

Déposer les sacs à plat au congélateur.

La veille du repas, laisser décongeler les sacs au réfrigérateur.

Au moment de la cuisson, égoutter le poulet et jeter la sauce contenue dans le sac.

Dans une grande poêle ou dans un wok, chauffer un peu d'huile de canola à feu moyen. Cuire les poitrines de poulet de 4 à 5 minutes, en les retournant à mi-cuisson, jusqu'à ce que l'intérieur de la chair du poulet ait perdu sa teinte rosée.

Ajouter le mélange de légumes et cuire de 2 à 3 minutes en remuant.

Verser la sauce contenue dans le deuxième sac et porter à ébullition. Cuire de 1 à 2 minutes en remuant.

PAR PORTION	
Calories	559
Protéines	45 g
Matières grasses	13 g
Glucides	69 g
Fibres	4 g
Fer	2 mg
Calcium	55 mg
Sodium	900 mg

À découvrir

Le miel

Qu'il provienne d'ici ou d'ailleurs, le miel est un aliment aux vertus surprenantes. Il est notamment une source importante de flavonoïdes, des antioxydants permettant de prévenir certains cancers, maladies cardiovasculaires ou maladies neurodégénératives. Le miel est d'ailleurs un remède connu et employé depuis longtemps, entre autres pour ses propriétés cicatrisantes et antiseptiques. Les abeilles travaillent pas moins de 7 000 heures pour en produire 500 g (environ 1 ½ tasse) !

Porc ①
8 côtelettes de longe
de 60 g (environ
2 ¼ oz) chacune
coupées en lanières

**Sauce de cuisson
aux arachides** ②
250 ml (1 tasse)

1 petit oignon rouge ③
émincé

Poivrons ④
émincés
½ vert et ½ rouge

Pois sucrés ⑤
100 g (3 ½ oz)

PRÉVOIR AUSSI :
➤ **Ail**
haché
5 ml (1 c. à thé)

Sauté de porc à l'arachide

Préparation : **15 minutes** • Cuisson : **6 minutes** • Quantité : **4 portions**

Préparation

Dans un grand sac hermétique, déposer les lanières de porc et verser la sauce. Fermer le sac et secouer afin de bien enrober les lanières de porc de sauce. Retirer l'air du sac et sceller.

Dans un autre grand sac hermétique, déposer l'oignon rouge, les poivrons, les pois sucrés et l'ail. Retirer l'air du sac et sceller.

Déposer les sacs à plat au congélateur.

La veille du repas, laisser décongeler les sacs au réfrigérateur.

Au moment de la cuisson, égoutter les lanières de porc en prenant soin de réserver la sauce.

Dans une poêle, chauffer un peu d'huile de canola à feu moyen. Cuire les lanières de porc 2 minutes de chaque côté. Retirer de la poêle et réserver dans une assiette.

Dans la même poêle, cuire la préparation aux légumes de 4 à 5 minutes en remuant quelques fois. Retirer les légumes de la poêle et réserver dans une assiette.

Verser la sauce dans la poêle et porter à ébullition. Remettre les lanières de porc et les légumes dans la poêle. Porter de nouveau à ébullition.

Si désiré, parsemer de feuilles de menthe au moment de servir.

PAR PORTION	
Calories	349
Protéines	29 g
Matières grasses	16 g
Glucides	25 g
Fibres	2 g
Fer	2 mg
Calcium	33 mg
Sodium	566 mg

Version maison

Sauce aux arachides

Mélanger 250 ml (1 tasse) de bouillon de poulet avec 60 ml (¼ de tasse) de beurre d'arachide croquant, 80 ml (⅓ de tasse) d'arachides non salées hachées, 30 ml (2 c. à soupe) de sauce soya et 5 ml (1 c. à thé) de cari. Saler et poivrer.

FACULTATIF :
➤ **Menthe**
quelques feuilles

Ananas
en petits morceaux
1 boîte de 398 ml

1

Miel
15 ml (1 c. à soupe)

2

24 crevettes moyennes
(calibre 31/40)
crues et décortiquées

3

3 demi-poivrons
de couleurs variées
coupés en cubes

4

16 pois sucrés

5

Crevettes glacées aux ananas

Préparation : **15 minutes** • Cuisson : **7 minutes** • Quantité : **4 portions**

Préparation

Verser le jus d'ananas contenu dans la boîte dans un bol. Ajouter le miel, les crevettes et, si désiré, les zestes de lime. Remuer.

Dans un grand sac hermétique, déposer les crevettes et la sauce. Fermer le sac et secouer afin de bien enrober les crevettes de sauce. Retirer l'air du sac et sceller.

Dans un autre grand sac hermétique, déposer les ananas, les poivrons, les pois sucrés et l'oignon rouge. Retirer l'air du sac et sceller.

Déposer les sacs à plat au congélateur.

La veille du repas, laisser décongeler les sacs au réfrigérateur.

Au moment de la cuisson, égoutter les crevettes en prenant soin de conserver la marinade.

Dans une poêle, chauffer un peu d'huile de canola à feu moyen. Cuire les crevettes 2 minutes de chaque côté. Réserver dans une assiette.

Dans la même poêle, cuire le mélange d'ananas et de légumes de 3 à 4 minutes.

Verser la marinade réservée et remettre les crevettes dans la poêle. Cuire de 2 à 3 minutes, jusqu'à ce que les crevettes soient caramélisées.

PAR PORTION	
Calories	208
Protéines	17 g
Matières grasses	3 g
Glucides	28 g
Fibres	2 g
Fer	3 mg
Calcium	73 mg
Sodium	120 mg

Idée pour accompagner

Riz au lait d'amandes

Rincer 125 ml (½ tasse) de riz au jasmin à l'eau froide. Déposer dans une casserole avec 200 ml (¾ de tasse + 4 c. à thé) de lait d'amandes, 125 ml (½ tasse) d'eau et 1 pincée de sel. Porter à ébullition. Couvrir et cuire de 20 à 25 minutes à feu doux-moyen, en remuant de temps en temps, jusqu'à ce que le riz soit cuit.

PRÉVOIR AUSSI :
➤ ½ **oignon rouge**
émincé

FACULTATIF :
➤ **Lime**
15 ml (1 c. à soupe) de zestes

Pâte de cari rouge ❶
30 ml (2 c. à soupe)

Garam masala ❷
5 ml (1 c. à thé)

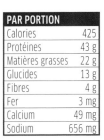

4 tomates ❸
coupées en dés

Lait de coco ❹
1 boîte de 398 ml

Poulet ❺
4 poitrines sans peau
coupées en petits cubes

PRÉVOIR AUSSI :
➤ **Citron**
15 ml (1 c. à soupe)
de jus

Cari rouge au poulet

Préparation : **15 minutes** • Cuisson : **23 minutes** • Quantité : **4 portions**

Préparation

Dans un bol, mélanger la pâte de cari rouge avec le garam masala. Ajouter les tomates, le lait de coco et le jus de citron. Remuer.

Dans un grand sac hermétique, déposer les cubes de poulet et verser la sauce au cari. Saler et poivrer. Fermer le sac et secouer afin de bien enrober le poulet de sauce. Retirer l'air du sac et sceller.

Déposer le sac à plat au congélateur.

La veille du repas, laisser décongeler le sac au réfrigérateur.

Au moment de la cuisson, égoutter le poulet en prenant soin de réserver la sauce.

Dans une poêle, chauffer un peu d'huile de canola à feu moyen. Faire dorer les dés de poulet de 3 à 4 minutes sur toutes les faces.

Verser la sauce et porter à ébullition, puis laisser mijoter de 20 à 25 minutes, jusqu'à ce que l'intérieur de la chair du poulet ait perdu sa teinte rosée.

PAR PORTION	
Calories	425
Protéines	43 g
Matières grasses	22 g
Glucides	13 g
Fibres	4 g
Fer	3 mg
Calcium	49 mg
Sodium	656 mg

Idée pour accompagner

Pains chapatis

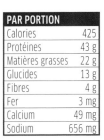

Dans un bol, mélanger 250 ml (1 tasse) de farine de blé entier avec 250 ml (1 tasse) de farine blanche et 2,5 ml (½ c. à thé) de sel. Incorporer graduellement 250 ml (1 tasse) d'eau et remuer jusqu'à l'obtention d'une boule de pâte. Pétrir la pâte 5 minutes. Couvrir le bol d'un linge humide et laisser la pâte reposer 1 heure à température ambiante. Pétrir la pâte de nouveau 3 minutes. Diviser en douze boules. Sur une surface farinée, abaisser chaque boule de pâte en un cercle de 15 cm (6 po) de diamètre. Dans une poêle, chauffer 15 ml (1 c. à soupe) d'huile de canola à feu doux-moyen. Cuire un chapati à la fois 1 minute, jusqu'à ce que des bulles se forment sur la pâte. Retourner le chapati et cuire jusqu'à ce qu'il soit doré. Cuire les autres chapatis en procédant de la même manière.

Sauce de cuisson pour poulet au beurre
180 ml (¾ de tasse)

1

Lait de coco **2**
125 ml (½ tasse)

Bœuf **3**
450 g (1 lb) de surlonge émincée

2 carottes **4**
taillées en julienne

10 pois mange-tout **5**
taillés en julienne

FACULTATIF :
➤ **Coriandre**
30 ml (2 c. à soupe) de feuilles

Sauté de bœuf, sauce au beurre

Préparation : **15 minutes** • Cuisson : **5 minutes** • Quantité : **4 portions**

Préparation

Dans un bol, mélanger la sauce pour poulet au beurre avec le lait de coco.

Dans un grand sac hermétique, verser la sauce et ajouter les lanières de bœuf. Saler et poivrer. Fermer le sac et secouer afin de bien enrober les lanières de marinade. Retirer l'air du sac et sceller.

Dans un autre grand sac hermétique, déposer les carottes et les pois mange-tout. Retirer l'air du sac et sceller.

Déposer les sacs à plat au congélateur.

La veille du repas, laisser décongeler les sacs au réfrigérateur.

Au moment du repas, égoutter les lanières de bœuf en prenant soin de réserver la sauce.

Dans une poêle, chauffer un peu d'huile de canola à feu moyen. Cuire le bœuf de 2 à 3 minutes en remuant. Transférer dans une assiette.

Verser la sauce dans la poêle. Porter à ébullition, puis laisser mijoter de 2 à 3 minutes.

Remettre les lanières de bœuf dans la poêle et ajouter les légumes. Cuire de 2 à 3 minutes en remuant.

Si désiré, parsemer de feuilles de coriandre au moment de servir.

PAR PORTION	
Calories	296
Protéines	27 g
Matières grasses	16 g
Glucides	10 g
Fibres	2 g
Fer	4 mg
Calcium	47 mg
Sodium	290 mg

Idée pour accompagner

Couscous aux légumes

Dans une casserole, porter à ébullition 250 ml (1 tasse) de bouillon de poulet. Dans un bol, mélanger 250 ml (1 tasse) de couscous avec 15 ml (1 c. à soupe) d'huile d'olive. Verser le bouillon sur le couscous, puis couvrir et laisser reposer 5 minutes. Égrainer à l'aide d'une fourchette. Couper 1 courgette, 1 poivron rouge et 1 petit oignon en dés. Dans une poêle, chauffer 15 ml (1 c. à soupe) d'huile d'olive à feu moyen-élevé. Cuire les légumes de 2 à 3 minutes. Dans le bol contenant le couscous, ajouter les légumes, 15 ml (1 c. à soupe) de basilic haché et 5 ml (1 c. à thé) d'origan haché. Saler, poivrer et remuer.

Orange
250 ml (1 tasse) de jus ❶

Sauce soya ❷
45 ml (3 c. à soupe)

Tofu ferme ❸
coupé en cubes d'environ 1,5 cm (⅔ de po)
1 bloc de 454 g

1 carotte ❹
taillée en julienne

6 shiitakes ❺
pieds retirés et
chapeaux émincés

PRÉVOIR AUSSI :
➤ **Fécule de maïs**
15 ml (1 c. à soupe)

➤ **Ail**
haché
10 ml (2 c. à thé)

➤ **Huile de canola**
45 ml (3 c. à soupe)

FACULTATIF :
➤ **Châtaignes d'eau entières**
égouttées
1 boîte de 227 ml

➤ **Noix de cajou**
80 ml (⅓ de tasse)

Sauté de tofu à l'orange

Préparation : **15 minutes** • Cuisson : **6 minutes** • Quantité : **4 portions**

Préparation

Dans un bol, mélanger le jus d'orange avec la sauce soya et la fécule de maïs. Saler et poivrer.

Dans un grand sac hermétique, verser la sauce et ajouter les cubes de tofu. Fermer le sac et secouer afin de bien enrober le tofu de sauce. Retirer l'air du sac et sceller.

Dans un autre grand sac hermétique, déposer la carotte, les shiitakes, l'ail et, si désiré, les châtaignes d'eau. Retirer l'air du sac et sceller.

Déposer les sacs à plat au congélateur.

La veille du repas, laisser décongeler les sacs au réfrigérateur.

Au moment de la cuisson, égoutter le tofu en prenant soin de réserver la marinade.

Dans une grande poêle ou dans un wok, chauffer l'huile à feu moyen. Faire dorer les cubes de tofu de 2 à 3 minutes sur toutes les faces. Réserver dans une assiette.

Dans la même poêle, cuire la préparation aux légumes et, si désiré, les noix de cajou de 3 à 4 minutes.

Verser la sauce dans la poêle et porter à ébullition en remuant.

Remettre le tofu dans la poêle et réchauffer 1 minute en remuant.

PAR PORTION	
Calories	332
Protéines	17 g
Matières grasses	21 g
Glucides	28 g
Fibres	4 g
Fer	8 mg
Calcium	287 mg
Sodium	708 mg

À découvrir

Le tofu et ses nombreuses vertus

Ingrédient de base du tofu, le soya est une source de protéines de très haute qualité. Dans la famille des légumineuses, c'est celui qui contient le plus de protéines complètes en acides aminés. Ainsi, le tofu peut aisément remplacer la viande dans un ou deux repas de votre menu hebdomadaire. Contrairement à la viande, il est faible en gras saturés et renferme même de « bons » gras qui aident à diminuer le taux de cholestérol sanguin. Il contient également des quantités intéressantes de phytoestrogènes, des hormones végétales qui aideraient à réduire l'intensité des symptômes de la ménopause. Le tofu peut être dégusté grillé, sauté, frit ou mijoté. Émietté, il s'incorpore dans les salades ou les soupes.

Sirop d'érable ❶
180 ml (¾ de tasse)

Vinaigre de cidre ❷
30 ml (2 c. à soupe)

Gingembre ❸
haché
15 ml (1 c. à soupe)

Poulet ❹
4 poitrines sans peau
coupées en cubes

1 poivron ❺
orange ou jaune
coupé en cubes

PRÉVOIR AUSSI :
➤ **Bouillon de poulet**
180 ml (¾ de tasse)

Sauté de poulet érable et poivron

Préparation : **15 minutes** • Cuisson : **14 minutes** • Quantité : **4 portions**

Préparation

Dans un bol, mélanger le sirop d'érable avec le vinaigre de cidre, le gingembre et le bouillon de poulet.

Dans un grand sac hermétique, verser la sauce et ajouter les poitrines de poulet et le poivron. Saler et poivrer. Fermer le sac et secouer afin de bien enrober le poulet de sauce. Retirer l'air du sac et sceller.

Déposer le sac à plat au congélateur.

La veille du repas, laisser décongeler le sac au réfrigérateur.

Au moment de la cuisson, égoutter le poulet et le poivron en prenant soin de réserver la sauce.

Dans une grande poêle, chauffer un peu d'huile de canola à feu moyen. Faire dorer les cubes de poulet et de poivron de 2 à 3 minutes.

Verser la sauce dans la poêle. Couvrir et laisser mijoter de 12 à 15 minutes à feu moyen, jusqu'à ce que l'intérieur de la chair du poulet ait perdu sa teinte rosée.

PAR PORTION	
Calories	435
Protéines	41 g
Matières grasses	10 g
Glucides	45 g
Fibres	0 g
Fer	2 mg
Calcium	81 mg
Sodium	375 mg

Idée pour accompagner

Riz pilaf

Dans une casserole, faire fondre 30 ml (2 c. à soupe) de beurre à feu moyen. Incorporer 250 ml (1 tasse) de riz blanc à grains longs. Remuer quelques secondes pour bien enrober le riz de beurre. Verser 500 ml (2 tasses) de bouillon de poulet et porter à ébullition à feu moyen. Couvrir et laisser mijoter de 18 à 20 minutes à feu doux. Au moment de servir, parsemer de 2 oignons verts émincés.

Bouillon de bœuf ❶
250 ml (1 tasse)

Pâte de tomates ❷
15 ml (1 c. à soupe)

Paprika ❸
10 ml (2 c. à thé)

6 saucisses italiennes ❹
cuites et coupées
en tranches de 1 cm
(½ po) d'épaisseur

10 champignons ❺
émincés

PRÉVOIR AUSSI :
➤ 1 **oignon**
émincé
➤ **Crème à
cuisson 15 %**
125 ml (½ tasse)

Saucisses aux tomates et paprika

Préparation : **15 minutes** • Cuisson : **10 minutes** • Quantité : **4 portions**

Préparation

Dans un bol, mélanger le bouillon avec la pâte de tomates et le paprika.

Dans un grand sac hermétique, déposer les saucisses et verser la sauce. Saler et poivrer. Fermer le sac et secouer afin de bien enrober les saucisses de sauce. Retirer l'air du sac et sceller.

Dans un autre grand sac hermétique, déposer l'oignon et les champignons. Retirer l'air du sac et sceller.

Déposer les sacs à plat au congélateur.

La veille du repas, laisser décongeler les sacs au réfrigérateur.

Au moment de la cuisson, chauffer un peu d'huile de canola à feu moyen dans une grande poêle. Faire revenir l'oignon et les champignons de 2 à 3 minutes.

Ajouter les tranches de saucisses et la sauce contenues dans le premier sac. Porter à ébullition, puis laisser mijoter à feu doux-moyen de 5 à 6 minutes.

Verser la crème et prolonger la cuisson de 3 minutes.

PAR PORTION	
Calories	547
Protéines	20 g
Matières grasses	49 g
Glucides	8 g
Fibres	2 g
Fer	2 mg
Calcium	201 mg
Sodium	1 067 mg

Idée pour accompagner

Pois sucrés au thym

Dans une casserole d'eau bouillante salée, cuire 375 ml (1 ½ tasse) de pois sucrés de 4 à 5 minutes. Égoutter et remettre dans la casserole. Ajouter 10 ml (2 c. à thé) de beurre, 5 ml (1 c. à thé) de miel, 2,5 ml (½ c. à thé) de vinaigre de vin blanc et 2,5 ml (½ c. à thé) de thym haché. Saler, poivrer et remuer.

Sauce au gingembre et citronnelle ❶
250 ml (1 tasse)

Bœuf ❷
2 steaks de surlonge épais de 250 g (environ ½ lb) chacun taillés en lanières

1 mangue ❸
taillée en lanières

1 poivron rouge ❹
taillé en lanières

Haricots verts ❺
coupés en morceaux 200 g (environ ½ lb)

PRÉVOIR AUSSI :
➤ ½ **oignon rouge**
coupé en fins quartiers
➤ **Huile de sésame**
(non grillé)
30 ml (2 c. à soupe)

Sauté de bœuf, mangue et poivron

Préparation : **15 minutes** • Cuisson : **6 minutes** • Quantité : **4 portions**

Préparation

Dans un grand sac hermétique, verser la sauce et ajouter les lanières de bœuf. Saler et poivrer. Fermer le sac et secouer afin de bien enrober les lanières de bœuf de sauce. Retirer l'air du sac et sceller.

Dans un autre grand sac hermétique, déposer la mangue, le poivron, les haricots et l'oignon rouge. Retirer l'air du sac et sceller.

Déposer les sacs à plat au congélateur.

La veille du repas, laisser décongeler les sacs au réfrigérateur.

Au moment de la cuisson, égoutter les lanières de bœuf en prenant soin de réserver la sauce.

Dans une poêle, chauffer la moitié de l'huile de sésame à feu moyen. Saler et poivrer les steaks, puis cuire de 2 à 3 minutes de chaque côté. Retirer de la poêle et réserver.

Dans la même poêle, chauffer le reste de l'huile à feu moyen. Cuire la mangue, le poivron, l'oignon rouge et les haricots 2 minutes.

Ajouter les lanières de steak et la sauce dans la poêle. Porter à ébullition.

PAR PORTION	
Calories	455
Protéines	32 g
Matières grasses	14 g
Glucides	16 g
Fibres	5 g
Fer	6 mg
Calcium	61 mg
Sodium	1 082 mg

Version maison

Sauce au gingembre et citronnelle

Dans une casserole, déposer 10 ml (2 c. à thé) d'ail haché, 15 ml (1 c. à soupe) de gingembre haché, 15 ml (1 c. à soupe) de citronnelle hachée (partie blanche), 15 ml (1 c. à soupe) de vinaigre de riz, 15 ml (1 c. à soupe) de graines de sésame, 15 ml (1 c. à soupe) de fécule de maïs, 30 ml (2 c. à soupe) de sauce soya, 30 ml (2 c. à soupe) de miel, 375 ml (1 ½ tasse) de bouillon de bœuf et ½ piment thaï haché. Remuer. Porter à ébullition. Retirer du feu et laisser tiédir.

Lime ❶
30 ml (2 c. à soupe)
de jus

Sauce de poisson ❷
15 ml (1 c. à soupe)

Sauce soya ❸
réduite en sodium
15 ml (1 c. à soupe)

Cassonade ❹
15 ml (1 c. à soupe)

**Mélange de crevettes
et de pétoncles** ❺
surgelés
2 sacs de 340 g chacun

PRÉVOIR AUSSI :
➤ **Ail**
haché
10 ml (2 c. à thé)

➤ **1 oignon**
haché

FACULTATIF :
➤ **Piment fort**
haché finement
au goût

➤ **Coriandre**
30 ml (2 c. à soupe)
de feuilles

Sauté de fruits de mer

Préparation : **15 minutes** • Cuisson : **5 minutes** • Quantité : **4 portions**

Préparation

Dans un bol, mélanger le jus de lime avec la sauce de poisson, la sauce soya et la cassonade.

Dans un grand sac hermétique, verser la sauce. Ajouter l'ail, l'oignon et, si désiré, le piment fort. Saler et poivrer. Fermer le sac et secouer afin de bien enrober les ingrédients de sauce. Retirer l'air du sac et sceller.

Déposer le sac à plat au congélateur.

La veille du repas, laisser décongeler les sacs de légumes et de fruits de mer au réfrigérateur.

Au moment de la cuisson, chauffer un peu d'huile de sésame (non grillé) ou d'huile de canola à feu moyen dans une grande poêle ou dans un wok. Cuire le mélange de crevettes et de pétoncles de 1 à 2 minutes de chaque côté. Retirer de la poêle et réserver dans une assiette.

Dans la même poêle, cuire la préparation à l'oignon de 1 à 2 minutes.

Remettre les fruits de mer dans la poêle et cuire de 2 à 3 minutes en remuant.

Répartir la préparation dans les assiettes. Si désiré, parsemer chacune des portions de coriandre.

Idée pour accompagner

Nouilles de riz sautées au sésame

Réhydrater 200 g (environ ½ lb) de nouilles de riz larges selon les indications de l'emballage. Égoutter. Dans une casserole, chauffer 30 ml (2 c. à soupe) d'huile de sésame (non grillé) à feu moyen. Cuire les nouilles de riz de 1 à 2 minutes en remuant. Ajouter 15 ml (1 c. à soupe) de graines de sésame rôties et 60 ml (¼ de tasse) d'oignons verts. Saler, poivrer et remuer.

PAR PORTION	
Calories	120
Protéines	22 g
Matières grasses	1 g
Glucides	10 g
Fibres	1 g
Fer	0 mg
Calcium	56 mg
Sodium	1 357 mg

Sauce teriyaki
réduite en sodium
250 ml (1 tasse)

①

Poulet
3 poitrines sans peau
émincées

②

Brocoli
taillé en petits bouquets
250 ml (1 tasse)

③

1 poivron rouge
émincé

④

Basilic thaï
60 ml (¼ de tasse)
de feuilles

⑤

PRÉVOIR AUSSI :
➤ 1 **oignon**
émincé

➤ **Huile de sésame**
(non grillé)
30 ml (2 c. à soupe)

FACULTATIF :
➤ **Pois mange-tout**
250 ml (1 tasse)

Sauté de poulet au basilic thaï

Préparation : **15 minutes** • Cuisson : **8 minutes** • Quantité : **4 portions**

Préparation

Dans un grand sac hermétique, verser la sauce. Ajouter les lanières de poulet. Fermer le sac et secouer afin de bien enrober le poulet de sauce. Retirer l'air du sac et sceller.

Dans un autre grand sac hermétique, déposer le brocoli, le poivron, l'oignon et, si désiré, les pois mange-tout. Retirer l'air du sac et sceller.

Déposer les sacs à plat au congélateur.

La veille du repas, laisser décongeler les sacs au réfrigérateur.

Au moment de la cuisson, égoutter le poulet en prenant soin de conserver la sauce.

Dans une grande poêle ou dans un wok, chauffer l'huile de sésame à feu moyen. Saisir les lanières de poulet de 2 à 3 minutes en procédant par petites quantités, jusqu'à ce que l'intérieur de la chair ait perdu sa teinte rosée. Transférer dans une assiette.

Dans la même poêle, cuire les légumes de 2 à 3 minutes.

Remettre le poulet dans la poêle. Ajouter les feuilles de basilic et la sauce. Porter à ébullition en remuant.

PAR PORTION	
Calories	313
Protéines	36 g
Matières grasses	9 g
Glucides	21 g
Fibres	2 g
Fer	1 mg
Calcium	40 mg
Sodium	1 415 mg

Version maison

Sauce pour sauté asiatique

Mélanger 250 ml (1 tasse) de bouillon de poulet avec 30 ml (2 c. à soupe) de sauce soya, 30 ml (2 c. à soupe) de pâte de cari jaune, 15 ml (1 c. à soupe) de sauce de poisson, 15 ml (1 c. à soupe) de cassonade et 10 ml (2 c. à thé) de fécule de maïs.

Choux de Bruxelles ❶
350 g (environ ¾ de lb)

1 petit oignon rouge ❷
émincé

1 poivron rouge ❸
émincé

Ail ❹
haché
10 ml (2 c. à thé)

30 grosses crevettes ❺
(calibre 21/25)
crues et décortiquées

FACULTATIF :
➤ **2 limes**
coupées en quartiers

Sauté de crevettes et choux de Bruxelles

Préparation : **15 minutes** • Cuisson : **10 minutes** • Quantité : **4 portions**

Préparation

Dans une casserole d'eau bouillante salée, faire blanchir les choux de Bruxelles de 3 à 4 minutes. Rincer sous l'eau froide, puis égoutter. Couper les choux de Bruxelles en deux.

Dans un grand sac hermétique, déposer l'oignon rouge, le poivron, l'ail et les choux de Bruxelles. Retirer l'air du sac et sceller.

Déposer le sac à plat au congélateur.

La veille du repas, laisser décongeler le sac et les crevettes au réfrigérateur.

Au moment de la cuisson, faire fondre un peu de beurre à feu moyen dans une poêle. Cuire les crevettes de 1 à 2 minutes de chaque côté. Transférer dans une assiette.

Dans la même poêle, cuire la préparation aux légumes de 4 à 6 minutes en remuant. Saler et poivrer.

Ajouter les crevettes et réchauffer 1 minute. Si désiré, servir avec les quartiers de limes.

PAR PORTION	
Calories	212
Protéines	15 g
Matières grasses	11 g
Glucides	18 g
Fibres	5 g
Fer	3 mg
Calcium	90 mg
Sodium	147 mg

Bon à savoir

Les crevettes et leurs différents calibres

Les crevettes se déclinent en plusieurs grosseurs. Mais que représentent les chiffres 16-20 ou 31-40 sur l'emballage? Ces deux chiffres correspondent tout simplement au nombre de crevettes par livre. Ainsi, plus les chiffres sont petits, plus les crevettes contenues dans le sac sont grosses, et vice-versa.

• **Les colossales** (8-12 et 13-15) et les **grosses crevettes** (de 16-20 à 26-30) se laissent griller sur le barbecue, au four ou à la poêle.

• **Les moyennes** (de 31-40 à 51-60) sont parfaites en salade, en soupe, en sauté et sur des pâtes.

• **Les petites** (de 61-70 à 90-110) se prêtent bien aux bouchées et aux verrines.

Sauce soya ❶
réduite en sodium
60 ml (¼ de tasse)

Vinaigre de riz ❷
45 ml (3 c. à soupe)

Porc ❸
450 g (1 lb) de
côtelettes de longe
coupées en dés

Riz ❹
cuit
1 litre (4 tasses)

Mélange de légumes
surgelés pour sauté
de style chinois
300 g (⅔ de lb)

1 sac

— épices + sel

PRÉVOIR AUSSI : { *brun*
➤ **Sucre**
10 ml (2 c. à thé)

(cassonade)

FACULTATIF :
➤ **Pois verts**
surgelés
250 ml (1 tasse)

➤ **3 œufs**
battus

Riz frit au porc et légumes

Préparation : **15 minutes** • Cuisson : **6 minutes** • Quantité : **4 portions**

Préparation

Dans un bol, mélanger la sauce soya avec le vinaigre
de riz et le sucre.

Dans un grand sac hermétique, transvider la sauce. Ajouter
les dés de porc et secouer afin de bien les enrober de sauce.
Retirer l'air du sac et sceller.

Dans un autre grand sac hermétique, déposer le riz cuit.
Retirer l'air du sac et sceller.

Déposer les sacs à plat au congélateur.

La veille du repas, laisser décongeler les sacs, les légumes
et, si désiré, les pois verts au réfrigérateur.

Au moment de la cuisson, égoutter les dés de porc en
prenant soin de conserver la sauce. À l'aide d'une passoire,
égoutter le mélange de légumes surgelés et, si désiré, les
pois verts.

Dans une poêle, chauffer un peu d'huile de canola à feu
moyen. Cuire les dés de porc de 3 à 4 minutes.

Ajouter le mélange de légumes et, si désiré, les pois verts.
Cuire de 3 à 4 minutes. Réserver dans une assiette.

Si désiré, verser les œufs dans la même poêle et remuer
jusqu'à ce qu'ils soient pris. Défaire en petits morceaux.

Remettre les légumes et le porc dans la poêle. Ajouter
le riz et réchauffer 2 minutes en remuant.

Verser la sauce et cuire 1 minute en remuant.

Style Yin Yang de Arbie Garden
Cuisson : 8 - 9 minutes au micro-ondes + 1 à 2 minutes cuisson en
sauté à la poêle.

À découvrir

Le porc du Québec

Saviez-vous que le porc du Québec est offert en
trente-deux découpes? De quoi s'en régaler sans
jamais se lasser ! Outre ses qualités gustatives, il
représente aussi une bonne source de protéines,
de minéraux et de vitamines. Cette viande contribue
ainsi à maintenir un bon niveau d'énergie tout en
aidant le fonctionnement du système immunitaire.

PAR PORTION	
Calories	587
Protéines	37 g
Matières grasses	16 g
Glucides	71 g
Fibres	4 g
Fer	3 mg
Calcium	70 mg
Sodium	688 mg

Orange ❶
250 ml (1 tasse) de jus

Curcuma ❷
2,5 ml (½ c. à thé)

Miel ❸
30 ml (2 c. à soupe)

Poulet ❹
12 hauts de cuisses
désossés, la peau enlevée
et coupés en morceaux

12 petites asperges ❺
coupées en morceaux
de 2,5 cm (1 po)

PRÉVOIR AUSSI :
➤ **1 petit oignon
rouge**
émincé
➤ **Fécule de maïs**
10 ml (2 c. à thé)

FACULTATIF :
➤ **2 oignons verts**
émincés
➤ **Coriandre**
30 ml (2 c. à soupe)
de feuilles

Sauté de poulet à l'orange et asperges

Préparation : **15 minutes** • Cuisson : **6 minutes** • Quantité : **de 4 à 6 portions**

Préparation

Dans un grand sac hermétique, déposer le jus d'orange, le curcuma et le miel. Fermer le sac et secouer. Retirer l'air du sac et sceller.

Dans un autre grand sac hermétique, déposer les hauts de cuisses. Retirer l'air du sac et sceller.

Dans un troisième grand sac hermétique, déposer les asperges et l'oignon rouge. Retirer l'air du sac et sceller.

Déposer les sacs à plat au congélateur.

La veille du repas, laisser décongeler les sacs au réfrigérateur.

Au moment de la cuisson, chauffer un peu d'huile de canola à feu moyen dans une grande poêle ou dans un wok. Cuire les hauts de cuisses de poulet de 5 à 6 minutes, en les retournant à mi-cuisson, jusqu'à ce que l'intérieur de la chair du poulet ait perdu sa teinte rosée.

Ajouter la préparation aux asperges et cuire de 1 à 2 minutes en remuant.

Ajouter la sauce au jus d'orange. Saler, poivrer et porter à ébullition.

Délayer la fécule de maïs dans un peu d'eau froide et ajouter dans la poêle. Laisser mijoter 1 minute à feu doux en remuant.

Si désiré, parsemer d'oignons verts et de feuilles de coriandre au moment de servir.

PAR PORTION	
Calories	247
Protéines	23 g
Matières grasses	11 g
Glucides	15 g
Fibres	1 g
Fer	2 mg
Calcium	28 mg
Sodium	104 mg

Idée pour accompagner

Nouilles de riz aux courgettes

Réhydrater le contenu de 1 paquet de nouilles de riz de 250 g selon les indications de l'emballage. Égoutter. Dans une poêle, chauffer 30 ml (2 c. à soupe) d'huile d'arachide à feu moyen. Faire dorer 1 oignon haché 1 minute. Ajouter 2 courgettes émincées et cuire 2 minutes. Ajouter les nouilles et 30 ml (2 c. à soupe) de graines de sésame. Réchauffer 1 minute.

1 poivron rouge
coupé en cubes

Chou-fleur
coupé en petits
bouquets
375 ml (1 ½ tasse)

Lait de coco
1 boîte de 400 ml

Pâte de cari verte
30 ml (2 c. à soupe)

Saumon
600 g (environ 1 ⅓ lb)
de pavés de 2 cm
(¾ de po) d'épaisseur,
la peau enlevée et
coupés en cubes

PRÉVOIR AUSSI :
➤ **1 oignon**
émincé

FACULTATIF :
➤ **Pois mange-tout**
150 g (⅓ de lb)

Cari de saumon et légumes

Préparation : **15 minutes** • Cuisson : **12 minutes** • Quantité : **4 portions**

Préparation

Dans un grand sac hermétique, déposer le poivron rouge, le chou-fleur, l'oignon et, si désiré, les pois mange-tout. Retirer l'air du sac et sceller.

Dans un deuxième grand sac hermétique, déposer le lait de coco et la pâte de cari. Fermer le sac et secouer. Retirer l'air du sac et sceller.

Dans un troisième grand sac hermétique, déposer les cubes de saumon. Retirer l'air du sac et sceller.

Déposer les sacs à plat au congélateur.

La veille du repas, laisser décongeler les sacs au réfrigérateur.

Au moment de la cuisson, chauffer un peu d'huile de canola à feu moyen dans une grande poêle. Cuire la préparation aux légumes de 2 à 3 minutes.

Ajouter la préparation au lait de coco. Porter à ébullition, puis laisser mijoter 5 minutes à feu doux-moyen.

Ajouter les cubes de saumon et remuer. Porter de nouveau à ébullition. Couvrir et laisser mijoter de 4 à 5 minutes à feu doux, jusqu'à ce que le saumon soit cuit.

PAR PORTION	
Calories	600
Protéines	35 g
Matières grasses	43 g
Glucides	13 g
Fibres	3 g
Fer	3 mg
Calcium	70 mg
Sodium	196 mg

À découvrir

Le cari

Amalgame d'épices typiques de l'Inde, le cari est aussi nommé *massala* (« mélange »). Sa recette varie selon les régions : gingembre, ail, cardamome, cumin, curcuma, poivre, piment, fenugrec... la liste est longue et variée ! Le cari tient son nom des Britanniques qui, au moment de la colonisation, appelaient *curry* (« cari » en français) les plats mijotés préparés par leur cuisinier indien. Le mot « cari » désigne donc aussi bien le mélange d'épices que le plat. La pâte de cari, quant à elle, est très concentrée et contient aussi des herbes aromatiques.

Sauce teriyaki ①
du commerce
180 ml (¾ de tasse)

Tofu extra-ferme ②
coupé en cubes
1 bloc de de 350 g

3 ½ poivrons ③
de couleurs variées
coupés en cubes

1 courgette ④
coupée en
demi-rondelles

Pois sucrés ⑤
100 g (3 ½ oz)

PRÉVOIR AUSSI :
➤ **1 petit
oignon rouge**
coupé en cubes

FACULTATIF :
➤ **Citronnelle**
1 tige, partie blanche
émincée

➤ **Champignons**
émincés
1 contenant de 227 g

Sauté de tofu teriyaki

Préparation : **15 minutes** • Cuisson : **6 minutes** • Quantité : **4 portions**

Préparation

Dans un grand sac hermétique, déposer la sauce teriyaki, le tofu et, si désiré, la citronnelle. Fermer le sac et secouer pour bien enrober le tofu de marinade. Retirer l'air du sac et sceller.

Dans un autre grand sac hermétique, déposer les poivrons, la courgette, les pois sucrés, l'oignon rouge et, si désiré, les champignons. Retirer l'air du sac et sceller.

Déposer les sacs à plat au congélateur.

La veille du repas, laisser décongeler les sacs au réfrigérateur.

Au moment de la cuisson, chauffer un peu d'huile de canola à feu moyen dans une grande poêle ou dans un wok. Cuire les légumes de 3 à 4 minutes à feu moyen. Transférer dans une assiette.

Dans la même poêle, porter à ébullition les cubes de tofu avec la sauce à feu moyen. Laisser mijoter de 2 à 3 minutes.

Remettre les légumes dans la poêle et réchauffer de 1 à 2 minutes en remuant.

PAR PORTION	
Calories	295
Protéines	16 g
Matières grasses	8 g
Glucides	48 g
Fibres	6 g
Fer	6 mg
Calcium	239 mg
Sodium	695 mg

Version maison

Sauce teriyaki

Mélanger 125 ml (½ tasse) de sauce soya avec 125 ml (½ tasse) de bouillon de poulet, 45 ml (3 c. à soupe) de mirin et 5 ml (1 c. à thé) d'ail haché.

Sauté de porc et légumes à l'asiatique

Préparation : **15 minutes** • Cuisson : **10 minutes** • Quantité : **4 portions**

Porc
1 filet de 600 g
(environ 1 ⅓ lb), paré
et coupé en lanières
1

Marinade miel et ail **2**
125 ml (½ tasse)

1 petit oignon rouge **3**

**Mélange de légumes
surgelés pour
macaroni chinois** **4**
500 ml (2 tasses)

Sauce au chili sucrée **5**
375 ml (1 ½ tasse)

Préparation

Dans un grand sac hermétique, déposer les lanières de porc et la marinade. Fermer le sac et secouer pour bien enrober le porc de marinade. Retirer l'air du sac et sceller.

Dans un autre grand sac hermétique, déposer l'oignon rouge, le mélange de légumes pour macaroni et, si désiré, le gingembre.

Déposer les sacs à plat au congélateur.

La veille du repas, laisser décongeler les sacs au réfrigérateur.

Au moment de la cuisson, égoutter les lanières de porc et jeter la marinade.

Dans une poêle, chauffer un peu d'huile de canola à feu moyen. Cuire les lanières de porc de 2 à 3 minutes, en procédant par petites quantités. Réserver dans une assiette.

Dans la même poêle, cuire les légumes 3 minutes en remuant, jusqu'à tendreté.

Verser la sauce au chili et porter à ébullition. Remettre les lanières de porc dans la poêle et réchauffer de 1 à 2 minutes.

PAR PORTION	
Calories	455
Protéines	35 g
Matières grasses	5 g
Glucides	61 g
Fibres	2 g
Fer	2 mg
Calcium	37 mg
Sodium	1 333 mg

À découvrir

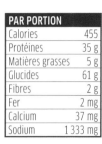

Le gingembre

Originaire de l'Asie du Sud-Est, le gingembre est une racine reconnue depuis toujours pour ses propriétés médicinales et aromatiques. Certains lui attribuent même des vertus aphrodisiaques ! Souvent utilisé dans la cuisine asiatique, il sert autant à rehausser les mets salés, comme celui-ci, que les mets sucrés. Au supermarché, on le retrouve frais, mariné ou en poudre. En version fraîche, il se conserve de deux à trois semaines au réfrigérateur, tandis que congelé tel quel ou pelé puis coupé en morceaux, on le garde jusqu'à douze mois !

FACULTATIF :
➤ **Gingembre**
haché
15 ml (1 c. à soupe)

Sauce à la mangue ❶
du commerce
375 ml (1 ½ tasse)

3 panais ❷
pelés et coupés
en bâtonnets

Mini-carottes ❸
450 g (1 lb)

Poulet ❹
4 poitrines sans peau
coupées en cubes

Riz ❺
cuit
1 litre (4 tasses)

Poulet aigre-doux à la mangue

Préparation : **15 minutes** • Cuisson : **11 minutes** • Quantité : **4 portions**

Préparation

Dans un grand sac hermétique, verser la sauce. Ajouter les panais et les mini-carottes. Fermer le sac et secouer afin de bien enrober les ingrédients de sauce. Retirer l'air du sac et le sceller.

Dans un deuxième grand sac hermétique, déposer les cubes de poulet. Retirer l'air du sac et sceller.

Dans un troisième grand sac hermétique, déposer le riz cuit. Retirer l'air du sac et sceller.

Déposer les sacs à plat au congélateur.

La veille du repas, laisser décongeler les sacs au réfrigérateur.

Au moment de la cuisson, chauffer un peu huile de canola à feu moyen. Cuire les cubes de poulet de 5 à 6 minutes, jusqu'à ce que l'intérieur de la chair du poulet ait perdu sa teinte rosée.

Ajouter la préparation aux légumes et la sauce. Porter à ébullition, puis laisser mijoter de 6 à 8 minutes à feu doux.

Dans un bol allant au micro-ondes, déposer le riz. Réchauffer le riz au micro-ondes.

Répartir le riz dans les assiettes, puis garnir de la préparation au poulet. Si désiré, garnir de coriandre.

PAR PORTION	
Calories	590
Protéines	47 g
Matières grasses	8 g
Glucides	79 g
Fibres	7 g
Fer	3 mg
Calcium	92 mg
Sodium	553 mg

Version maison

Sauce à la mangue

Mélanger le contenu de 1 boîte de jus de mangue concentré de 295 ml avec 125 ml (½ tasse) de bouillon de poulet, 60 ml (¼ de tasse) de sauce soya, 45 ml (3 c. à soupe) de cassonade, 45 ml (3 c. à soupe) de vinaigre de riz, 15 ml (1 c. à soupe) de gingembre haché, 15 ml (1 c. à soupe) d'ail haché et 2 oignons hachés. Saler et poivrer.

FACULTATIF :
➤ **Coriandre**
Quelques feuilles

Du congélo
à l'assiette

Du congélo à l'assiette

La congélation, c'est facile et ça dépanne, mais encore faut-il s'y prendre de la bonne manière. Des étapes de préparation à la décongélation, en passant par l'emballage optimal : voici les grandes lignes à respecter pour maximiser la congélation !

Par Marie-Pier Marceau

Pour optimiser la congélation des aliments, la température du congélateur doit être de -18 °C (0 °F). À température plus haute, les aliments se conserveront moins bien et à température plus basse, il n'y aura aucune différence : le congélateur consommera simplement plus d'énergie à perte. Le compartiment de congélation des réfrigérateurs a habituellement une température qui varie de -4 °C (environ 25 °F) à -12 °C (environ 10 °F), ce qui fait qu'il devrait être utilisé pour congeler les aliments à très court terme seulement. Les congélateurs-coffres congèlent à une température qui est normalement la bonne, soit -18 °C (0 °F). Ces modèles permettent donc une meilleure conservation à long terme des aliments en plus de pouvoir en contenir une plus grande quantité !

Pas de plats chauds au congélo ! Ils risquent de faire augmenter la température globale de l'appareil et d'ainsi minimiser la conservation des autres aliments qui s'y trouvent.

Emballages de qualité

Les viandes, volailles et poissons frais emballés au supermarché ne se conservent que quelques jours au réfrigérateur. Leur congélation permet d'éviter qu'ils ne périment trop rapidement, mais il faut d'abord les transférer dans un sac ou dans un plat adéquat. Ainsi, ils seront mieux protégés du froid et pourront être conservés plus longtemps. Faites ce transfert dès votre retour de l'épicerie pour éviter de l'oublier. Vous pouvez même ajouter une marinade pour assurer une viande savoureuse en tout temps.

Congélation optimale pour les légumes

Certains légumes gagnent à être blanchis avant d'aller au congélateur. Cette étape permet de freiner l'action des enzymes et de détruire les bactéries en plus de préserver la couleur, la saveur et la texture du légume. C'est ce que l'on fera pour les courgettes, le brocoli, les carottes, le chou-fleur et les haricots que l'on plongera 3 minutes dans l'eau bouillante. À leur sortie de la casserole, on dépose ces légumes dans un plat d'eau très froide pour stopper la cuisson. On les assèche ensuite avant de les disposer dans des sacs ou dans des plats de congélation.

Bien identifié, bien organisé!

Avant de ranger plats, aliments parés et autres délices au congélateur, mieux vaut les identifier. Sur les sacs de congélation, on utilise un marqueur indélébile, et sur les plats réutilisables, des étiquettes qui permettront de noter la date de préparation des aliments. La gestion du contenu du congélo se fera ainsi plus facilement!

Décongélation 101

Plusieurs techniques sont efficaces pour décongeler les aliments. On peut, par exemple, les sortir du congélo le soir précédant leur consommation et les laisser décongeler au réfrigérateur. En cas d'oubli, il est aussi possible de les décongeler en quelques minutes seulement en les laissant tremper dans un bol d'eau froide – c'est particulièrement efficace pour les crevettes! Et pour les plus pressés, le micro-ondes reste une option, mais il importe alors de cuire entièrement les aliments dès leur sortie de l'appareil. Surtout, évitez de décongeler les aliments à température ambiante, car cela favorise la formation de bactéries à leur surface.

Faire le ménage du congélateur

À force d'y ajouter des aliments, le congélateur se retrouve parfois rempli à craquer. En plus d'entraîner l'oubli de ce qu'il contient, cela empêche l'air froid d'y circuler correctement. Pensez à faire un tri au moins une fois par mois! Laissez les plats et les aliments récemment ajoutés au fond et sortez ceux qui sont au congélateur depuis trop longtemps: ils devront être cuisinés ou réchauffés dans les jours qui suivent.

Voyez la durée de conservation au congélateur de vos aliments préférés à la page 15!

Ça se congèle, mais...

Bien que la majorité des aliments se congèlent, le goût, l'apparence ou la texture de certains d'entre eux peut être altéré par leur passage au congélo. Voici lesquels.

ALIMENT	POURQUOI?
Crème sure	Devient liquide.
Fromage frais (ricotta, cottage, etc.)	Devient granuleux ou trop liquide.
Fromage à pâte molle (brie, camembert, etc.)	Texture altérée, mais on peut l'utiliser en sauce.
Lait et crèmes 10%, 15% et 35%	Se séparent à la décongélation, mais on peut les remuer pour inverser l'effet. La crème 35% ne peut toutefois plus être fouettée.
Mayonnaise	Se sépare.
Œuf cuit	Devient caoutchouteux et ferme.
Pomme de terre dans les soupes et ragoûts	Devient gorgée d'eau et se défait à la cuisson.
Sauce liée à de la fécule	Se sépare. Si on la réchauffe en remuant vigoureusement, elle pourrait reprendre sa texture initiale.

Bœuf
600 g (environ 1 ⅓ lb)
d'épaule coupée en cubes

4 carottes
coupées en tronçons

Vin rouge
125 ml (½ tasse)

Bouillon de bœuf
250 ml (1 tasse)

Thym
haché
5 ml (1 c. à thé)

PRÉVOIR AUSSI :
oignons
coupés en rondelles
Farine
15 ml (1 c. à soupe)

FACULTATIF :
➤ **Ail**
haché
15 ml (1 c. à soupe)
➤ **Laurier**
1 feuille

Mijoté de bœuf au vin rouge

Préparation : **15 minutes** • Cuisson : **2 heures 30 minutes** • Quantité : **de 4 à 6 portions**

Préparation

Chauffer une cocotte en fonte ou une casserole à fond épais à feu moyen. Saisir le bœuf sur toutes les faces de 5 à 7 minutes, jusqu'à ce que la viande soit colorée.

Ajouter les carottes et les oignons. Poursuivre la cuisson de 2 à 3 minutes en remuant.

Si désiré, ajouter l'ail. Saupoudrer de farine. Poursuivre la cuisson 1 minute en remuant.

Verser le vin rouge et remuer. Laisser mijoter jusqu'à évaporation presque complète du liquide.

Ajouter le bouillon, le thym et, si désiré, le laurier. Saler, poivrer et remuer. Couvrir et laisser mijoter à feu doux de 2 heures 30 minutes à 3 heures, jusqu'à ce que la viande soit tendre.

Répartir le bœuf braisé dans des contenants hermétiques. Laisser tiédir, puis refroidir au réfrigérateur.

Placer les contenants hermétiques au congélateur.

La veille du repas, laisser décongeler le bœuf braisé au réfrigérateur.

Au moment du repas, réchauffer le bœuf braisé dans une casserole ou au micro-ondes.

Secret de chef

Choisir un bon vin pour cuisiner

Pour assurer la qualité gustative de cette sauce, il faut utiliser un bon vin. Ici, le terme « bon » signifie d'une qualité satisfaisante, et non pas un vin de grande qualité. Comme la cuisson entraîne l'évaporation de l'alcool et une concentration des éléments du vin, ses défauts tendent à s'intensifier. Par exemple, un vin trop oxydé ou ayant un goût de bouchon affectera la saveur des mets. Petit conseil : goûtez-y avant de cuisiner !

PAR PORTION	
Calories	224
Protéines	22 g
Matières grasses	7 g
Glucides	13 g
Fibres	2 g
Fer	3 mg
Calcium	51 mg
Sodium	242 mg

1 oignon
haché

Poulet
3 poitrines sans peau
coupées en dés

**Assaisonnements
à chili**
½ sachet de 39 g

Bouillon de poulet
250 ml (1 tasse)

Haricots blancs
rincés et égouttés
2 boîtes de 540 ml
chacune

Chili blanc

Préparation : **15 minutes** • Cuisson : **20 minutes** • Quantité : **6 portions**

Préparation

Dans une casserole, chauffer un peu d'huile d'olive
à feu moyen. Cuire l'oignon 1 minute.

Ajouter le poulet et cuire de 4 à 5 minutes en remuant
de temps en temps.

Ajouter les assaisonnements à chili et remuer. Verser le
bouillon et ajouter les haricots blancs. Porter à ébullition,
puis laisser mijoter 15 minutes, jusqu'à ce que l'intérieur
de la chair du poulet ait perdu sa teinte rosée.

Répartir le chili dans des contenants hermétiques.
Laisser tiédir, puis refroidir au réfrigérateur.

La veille du repas, laisser décongeler le chili
au réfrigérateur.

Au moment du repas, réchauffer le chili
dans une casserole ou au micro-ondes.

Répartir le chili dans les bols. Si désiré,
garnir de fromage et d'avocat.

PAR PORTION	
Calories	457
Protéines	38 g
Matières grasses	17 g
Glucides	40 g
Fibres	12 g
Fer	5 mg
Calcium	259 mg
Sodium	614 mg

Astuce 5•15

Ayez toujours des mélanges d'assaisonnements sous la main !

Les mélanges d'assaisonnements sont de précieux alliés pour
rehausser la saveur de vos plats en deux temps trois mouvements ! Ici, ce sont les assaisonnements à chili qui donnent
une touche mexicaine à la recette grâce aux piments séchés,
au poivre, au cumin, à l'origan, au paprika, à l'ail et aux clous
de girofle qu'ils contiennent. On trouve à l'épicerie de nom-
breuses autres variétés d'assaisonnements : pour porc, pour
poulet, pour fajitas, cajun, italiens, etc. Profitez des rabais
pour faire des réserves et ainsi toujours en avoir sous la main !

FACULTATIF :
➤ **Mélange de fromages râpés**
de type Mexicana
250 ml (1 tasse)

➤ 1 **avocat**
coupé en dés

186

Soupe fromagée au poisson

Préparation : **15 minutes** • Cuisson : **7 minutes** • Quantité : **de 4 à 6 portions**

Préparation

Dans une casserole à fond épais, faire fondre un peu de beurre à feu moyen. Cuire le mélange de légumes de 2 à 3 minutes.

Saupoudrer de farine. Incorporer graduellement le lait, puis le bouillon de poulet. Saler et poivrer. Porter à ébullition en remuant.

Réduire l'intensité du feu, puis ajouter le poisson et laisser mijoter 5 minutes.

Incorporer le cheddar râpé.

Répartir la soupe dans des contenants hermétiques. Laisser tiédir, puis refroidir au réfrigérateur.

Placer les contenants hermétiques au congélateur.

La veille du repas, laisser la soupe décongeler au réfrigérateur.

Au moment du repas, réchauffer la soupe dans une casserole ou au micro-ondes.

Si désiré, garnir chaque portion de paprika au moment de servir.

PAR PORTION	
Calories	238
Protéines	22 g
Matières grasses	10 g
Glucides	14 g
Fibres	1 g
Fer	1 mg
Calcium	252 mg
Sodium	527 mg

Idée pour accompagner

Croûtons au cheddar fort

Couper ⅓ de baguette de pain en tranches et déposer sur une plaque de cuisson tapissée de papier parchemin. Badigeonner les tranches de pain de 15 ml (1 c. à soupe) d'huile d'olive. Parsemer de 125 ml (½ tasse) de cheddar fort râpé. Cuire au four de 2 à 3 minutes à la position « gril » (*broil*), jusqu'à ce que le fromage commence à dorer.

① Mélange de légumes frais pour sauce à spaghetti
375 ml (1 ½ tasse)

② Lait 2 %
750 ml (3 tasses)

③ Bouillon de poulet
ou de légumes
500 ml (2 tasses)

④ Poisson à chair ferme au choix
(morue, aiglefin, sole, saumon)
450 g (1 lb) de filets coupés en dés de 2 cm (¾ de po)

⑤ Cheddar
râpé
125 ml (½ tasse)

PRÉVOIR AUSSI :
➤ **Farine**
60 ml (¼ de tasse)

FACULTATIF :
➤ **Paprika**
1 pincée

188

Recette de Diane Boudreault

Bœuf ❶
750 g (environ 1 ⅔ lb)
de cubes à brochettes

Pâte de cari rouge ❷
30 ml (2 c. à soupe)

Lait de coco ❸
1 boîte de 400 ml

3 tomates ❹
coupées en dés

Gingembre ❺
haché
15 ml (1 c. à soupe)

Bœuf à l'indienne

Préparation : **15 minutes** • Cuisson : **7 minutes** • Quantité : **4 portions**

Préparation

Dans une poêle, chauffer un peu d'huile de canola à feu moyen. Faire dorer les cubes de bœuf sur toutes les faces de 2 à 3 minutes. Transférer dans une assiette.

Dans la même poêle, cuire la pâte de cari avec l'oignon, le curcuma et, si désiré, l'ail 1 minute à feu moyen.

Ajouter le lait de coco, les tomates et le gingembre. Porter à ébullition à feu moyen, puis cuire 2 minutes.

Ajouter les cubes de bœuf et, si désiré, la coriandre. Cuire de 2 à 3 minutes en remuant.

Répartir la préparation dans des contenants hermétiques. Laisser tiédir, puis refroidir au réfrigérateur.

Placer les contenants au congélateur.

La veille du repas, laisser décongeler la préparation au réfrigérateur.

Au moment du repas, réchauffer la préparation dans une poêle ou au micro-ondes.

PAR PORTION	
Calories	386
Protéines	41 g
Matières grasses	20 g
Glucides	9 g
Fibres	2 g
Fer	4,4 mg
Calcium	22 mg
Sodium	639 mg

Option santé

Curcuma, gingembre et pâte de cari : bourrés de bienfaits !

Ce bœuf à l'indienne contient des ingrédients que l'on gagne à intégrer dans l'assiette en raison de leurs atouts santé. Le curcuma est notamment connu pour ses bienfaits dans le traitement des troubles de digestion et des maladies inflammatoires, mais aussi dans la prévention de certains cancers. Le gingembre est quant à lui un aliment très utilisé en médecine chinoise pour le traitement du rhume ou de la grippe. Il aiderait également à diminuer les nausées en plus d'avoir des propriétés anti-inflammatoires et antioxydantes. Finalement, la pâte de cari rouge est reconnue pour soulager l'insomnie, la constipation, les ballonnements et les rhumatismes.

PRÉVOIR AUSSI :
➤ 1 **oignon**
haché
➤ **Curcuma**
1,25 ml (¼ de c. à thé)

FACULTATIF :
➤ **Ail**
haché
10 ml (2 c. à thé)
➤ **Coriandre**
hachée
30 ml (2 c. à soupe)

Porc ①
908 g (2 lb) de rôti
de longe

Moutarde de Dijon ②
30 ml (2 c. à soupe)

Soupe à l'oignon ③
1 sachet de 55 g

2 carottes ④
émincées

Cidre ⑤
250 ml (1 tasse)

Rôti de porc au cidre

Préparation : **15 minutes** • Cuisson : **40 minutes** • Quantité : **de 4 à 6 portions**

Préparation

Préchauffer le four à 205 °C (400 °F).

Dans une poêle allant au four, chauffer un peu d'huile de canola à feu moyen. Saisir le rôti sur toutes ses faces.

Badigeonner le rôti avec la moutarde, puis saupoudrer du contenu du sachet de soupe à l'oignon.

Ajouter les carottes, le cidre, l'ail et, si désiré, les fines herbes dans la poêle. Saler et poivrer. Cuire au four de 40 à 50 minutes.

Déposer le rôti de porc dans un grand contenant hermétique. Laisser tiédir, puis refroidir au réfrigérateur.

Placer le contenant hermétique au congélateur.

La veille du repas, laisser décongeler le rôti au réfrigérateur.

Au moment du repas, réchauffer le rôti au four ou au micro-ondes.

PAR PORTION	
Calories	285
Protéines	35 g
Matières grasses	9 g
Glucides	14 g
Fibres	1 g
Fer	1 mg
Calcium	19 mg
Sodium	690 mg

Idée pour accompagner

Sauce salée aux pommes

Dans une casserole, chauffer 15 ml (1 c. à soupe) d'huile de canola à feu doux-moyen. Cuire 1 oignon haché et 3 pommes épluchées et coupées en dés 8 minutes, jusqu'à ce que les pommes soient cuites. Verser 180 ml (¾ de tasse) de crème à cuisson 15 %, 125 ml (½ tasse) de bouillon de poulet et 30 ml (2 c. à soupe) de sirop d'érable. Saler et poivrer. Laisser mijoter à feu doux de 6 à 8 minutes.

PRÉVOIR AUSSI :
➤ **Ail**
haché
10 ml (2 c. à thé)

FACULTATIF :
➤ **Laurier**
1 feuille
➤ **Thym**
1 tige

1 poulet ①
coupé en huit morceaux
1,5 kg (3 ⅓ lb)

Poivrons ②
émincés
2 rouges et 1 jaune

Pâte de tomates ③
60 ml (¼ de tasse)

Thym ④
1 tige

12 olives vertes ⑤

PRÉVOIR AUSSI :
➤ **2 oignons**
émincés
➤ **Bouillon de poulet**
375 ml (1 ½ tasse)

Mijoté de poulet aux poivrons et olives

Préparation : **15 minutes** • Cuisson : **30 minutes** • Quantité : **de 4 à 6 portions**

Préparation

Dans une cocotte ou dans une casserole à fond épais, chauffer un peu d'huile d'olive à feu moyen-élevé. Saisir quelques morceaux de poulet à la fois de 1 à 2 minutes, jusqu'à ce que chacune de leurs faces soit dorée. Déposer les morceaux de poulet dans une assiette.

Dans la cocotte, cuire les poivrons et les oignons de 2 à 3 minutes à feu moyen.

Ajouter la pâte de tomates, le thym et, si désiré, les tomates et le prosciutto. Remettre le poulet dans la casserole. Verser le bouillon. Saler et poivrer. Porter à ébullition, puis couvrir et laisser mijoter de 30 à 40 minutes à feu doux-moyen, jusqu'à ce que l'intérieur de la chair du poulet ait perdu sa teinte rosée et qu'il se défasse à la fourchette.

Retirer du feu et incorporer les olives.

Répartir la préparation dans des contenants hermétiques ou dans des sacs de congélation. Laisser tiédir, puis refroidir au réfrigérateur. Placer au congélateur.

La veille du repas, laisser décongeler la préparation au réfrigérateur.

Au moment du repas, réchauffer la préparation au poulet dans une casserole ou au micro-ondes.

PAR PORTION	
Calories	604
Protéines	37 g
Matières grasses	43 g
Glucides	16 g
Fibres	4 g
Fer	3 mg
Calcium	55 mg
Sodium	706 mg

Le truc du chef

Faire couper son poulet

La recette que vous souhaitez réaliser exige un poulet coupé en huit morceaux (deux pilons, deux cuisses, deux poitrines et deux ailes) ? Demandez à votre boucher de le préparer à votre place pendant que vous terminez vos emplettes. Ce service est offert gratuitement dans la plupart des supermarchés.

FACULTATIF :
➤ **2 grosses tomates**
épépinées et coupées
en cubes

➤ **Prosciutto**
4 tranches
coupées en dés

Bœuf haché ❶
mi-maigre
675 g (environ 1 ½ lb)

Lait 2 % ❷
250 ml (1 tasse)

Chapelure nature ❸
250 ml (1 tasse)

Épices à steak ❹
30 ml (2 c. à soupe)

Sauce Worcestershire ❺
15 ml (1 c. à soupe)

PRÉVOIR AUSSI :
➤ 1 **œuf**
➤ 1 **oignon**
haché

Pain de viande au bœuf

Préparation : **15 minutes** • Cuisson : **40 minutes** • Quantité : **4 portions**

Préparation

Dans un bol, mélanger tous les ingrédients.

Tapisser un moule à pain de papier parchemin, puis y déposer la préparation. Égaliser la surface.

Couvrir le moule d'une pellicule plastique, puis d'une feuille de papier d'aluminium. Placer au congélateur.

La veille du repas, laisser décongeler le pain de viande au réfrigérateur.

Au moment de la cuisson, préchauffer le four à 205 °C (400 °F). Retirer la feuille de papier d'aluminium et la pellicule plastique du moule.

Cuire le pain de viande au four de 40 à 45 minutes, jusqu'à ce que l'intérieur du pain ait perdu sa teinte rosée.

PAR PORTION	
Calories	579
Protéines	40 g
Matières grasses	32 g
Glucides	32 g
Fibres	3 g
Fer	6 mg
Calcium	178 mg
Sodium	596 mg

Le truc du chef

Un pain de viande tendre et savoureux

Pour savoir si un pain de viande est cuit à point, le thermomètre à cuisson s'avère le meilleur allié. Il suffit de l'insérer au centre du pain de viande sans toucher le fond du moule. Pour le bœuf, le veau, le porc ainsi que l'agneau, le thermomètre doit afficher 71 °C (160 °F). Pour la volaille, on attend plutôt que la température atteigne 74 °C (165 °F). Autre astuce : on laisse le pain de viande reposer de 10 à 15 minutes avant de le trancher. Ce temps d'attente permet au jus de se redistribuer dans le pain.

Cari
15 ml (1 c. à soupe) **1**

Gingembre **2**
haché
15 ml (1 c. à soupe)

**Lentilles rouges
ou corail** **3**
sèches
500 ml (2 tasses)

Lait de coco **4**
1 boîte de 398 ml

Tomates en dés **5**
1 boîte de 540 ml

PRÉVOIR AUSSI:
➤ **Échalotes sèches**
(françaises)
hachées
125 ml (½ tasse)

➤ **Ail**
haché
15 ml (1 c. à soupe)

FACULTATIF:
➤ **Piment thaï**
haché
au goût

➤ **Chou kale**
émincé
500 ml (2 tasses)

Cari aux lentilles et coco

Préparation : **15 minutes** • Cuisson : **21 minutes** • Quantité : **4 portions**

Préparation

Dans une casserole, chauffer un peu d'huile d'olive à feu moyen. Cuire le cari, le gingembre, les échalotes, l'ail et, si désiré, le piment thaï 1 minute. Saler.

Ajouter les lentilles, le lait de coco et les tomates en dés. Couvrir et cuire de 20 à 25 minutes en remuant fréquemment, jusqu'à ce que les lentilles soient cuites.

Si désiré, incorporer le chou kale.

Répartir le cari dans des contenants hermétiques. Laisser tiédir, puis refroidir au réfrigérateur.

Placer les contenants hermétiques au congélateur.

La veille du repas, laisser décongeler le cari au réfrigérateur.

Au moment du repas, réchauffer le cari dans une casserole ou au micro-ondes.

Option santé

Les lentilles rouges

On gagne à intégrer les lentilles à notre alimentation : elles sont les plus digestes des légumineuses et sont bourrées de fibres, d'antioxydants ainsi que de fer. Nécessitant moins de cuisson que les autres variétés, les lentilles rouges (ou corail) sont les candidates idéales des soupes, mijotés et purées vite préparés. Avec leur goût fin et leur couleur rosée, elles égayent illico ce plat de cari !

PAR PORTION	
Calories	574
Protéines	30 g
Matières grasses	21 g
Glucides	80 g
Fibres	14 g
Fer	12 mg
Calcium	180 mg
Sodium	272 mg

Saucisses à l'italienne

Préparation : **15 minutes** • Cuisson : **8 minutes** • Quantité : **8 portions**

Préparation

Préchauffer le four à 205 °C (400 °F).

Dans une casserole remplie d'eau froide, déposer les saucisses. Porter à ébullition, puis laisser mijoter à feu moyen 3 minutes. Égoutter.

Dans un bol, mélanger les tomates cerises avec le vinaigre balsamique, l'oignon rouge, l'ail et, si désiré, le basilic. Saler et poivrer.

Couper les saucisses en morceaux. Ajouter dans le bol et remuer.

Transférer la préparation aux saucisses dans un plat de cuisson. Cuire au four de 8 à 10 minutes.

Retirer le plat du four et laisser tiédir. Laisser refroidir au réfrigérateur.

Couvrir le plat d'une pellicule plastique, puis d'une feuille de papier d'aluminium. Placer au congélateur.

La veille du repas, laisser décongeler la préparation au réfrigérateur.

Au moment du repas, retirer le papier d'aluminium et la pellicule plastique. Réchauffer la préparation au four ou au micro-ondes.

Au moment de servir, garnir de roquette.

PAR PORTION	
Calories	294
Protéines	14 g
Matières grasses	24 g
Glucides	7 g
Fibres	1 g
Fer	2 mg
Calcium	18 mg
Sodium	776 mg

Idée pour accompagner

Pommes de terre et patates douces rôties au parmesan

Dans un saladier, mélanger 30 ml (2 c. à soupe) d'huile d'olive avec 10 ml (2 c. à thé) de moutarde sèche et 8 gousses d'ail entières. Ajouter 450 g de pommes de terre Fingerling ou grelots coupées en deux, 1 petit oignon rouge haché et 3 patates douces coupées en cubes. Saler, poivrer et remuer. Déposer sur une plaque de cuisson tapissée de papier parchemin. Cuire au four de 25 à 30 minutes à 205 °C (400 °F), jusqu'à ce que les légumes soient bien rôtis et tendres. Au moment de servir, parsemer de 60 ml (¼ de tasse) de copeaux de parmesan et de 10 ml (2 c. à thé) de thym haché.

1 4 saucisses italiennes

2 4 saucisses tomate et basilic

3 Tomates cerises
300 g (⅔ de lb)

4 Vinaigre balsamique
30 ml (2 c. à soupe)

5 Roquette
375 ml (1 ½ tasse)

PRÉVOIR AUSSI :
➤ 1 **oignon rouge**
émincé

➤ **Ail**
haché
15 ml (1 c. à soupe)

FACULTATIF :
➤ **Basilic**
émincé
30 ml (2 c. à soupe)

Bœuf
340 g (¾ de lb) de
cubes à ragoût taillés
en dés
①

1 courgette
coupée en dés
②

Tomates en dés
1 boîte de 540 ml
③

Bouillon de bœuf
réduit en sodium
1,5 litre (6 tasses)
④

**Mélange de légumes
surgelés de type
californien**
décongelés
500 ml (2 tasses)
⑤

PRÉVOIR AUSSI :
➤ 1 **oignon**
haché

Soupe bœuf et légumes

Préparation : **15 minutes** • Cuisson : **25 minutes** • Quantité : **de 4 à 6 portions**

Préparation

Dans une casserole, chauffer un peu d'huile d'olive à feu moyen. Faire dorer les dés de bœuf et l'oignon de 3 à 4 minutes.

Ajouter la courgette, les tomates en dés et le bouillon. Saler et poivrer. Laisser mijoter à découvert 20 minutes à feu moyen.

Ajouter le mélange de légumes. Laisser mijoter à découvert 5 minutes.

Répartir la soupe dans des contenants hermétiques. Laisser tiédir, puis refroidir au réfrigérateur. Placer au congélateur.

La veille du repas, laisser décongeler la soupe au réfrigérateur.

Au moment du repas, réchauffer la soupe dans une casserole ou au micro-ondes.

PAR PORTION	
Calories	199
Protéines	18 g
Matières grasses	9 g
Glucides	12 g
Fibres	2 g
Fer	2 mg
Calcium	57 mg
Sodium	826 mg

Pour varier

Utilisez d'autres légumes

Évidemment, vous pouvez réaliser une bonne soupe aux légumes avec un mélange de légumes surgelés, comme ici. Mais vous pouvez aussi profiter de l'abondance des légumes de saison ! Les patates douces, les courges, les panais, les navets et les haricots apporteront couleurs et saveurs à votre soupe. Osez varier les légumes !

Sauce demi-glace ①
1 sachet de 34 g

Vin rouge ②
375 ml (1 ½ tasse)

Bouillon de poulet ③
250 ml (1 tasse)

Poulet ou dinde ④
650 g (environ 1 ½ lb)
de poitrines sans peau
émincées

Bacon ⑤
précuit
8 tranches coupées
en morceaux

Émincé de volaille au vin rouge

Préparation : **15 minutes** • Cuisson : **13 minutes** • Quantité : **4 portions**

Préparation

Dans une casserole, fouetter le contenu du sachet de sauce demi-glace avec le vin rouge, le bouillon et, si désiré, la pâte de tomates. Porter à ébullition en fouettant.

Dans une poêle, chauffer un peu d'huile de canola à feu moyen. Faire dorer les lanières de poulet de 2 à 3 minutes sur toutes les faces.

Ajouter l'ail et l'oignon. Cuire 1 minute.

Verser la sauce dans la poêle. Couvrir et cuire de 10 à 12 minutes à feu doux-moyen.

Retirer du feu et garnir de morceaux de bacon. Répartir la préparation dans des contenants hermétiques. Laisser tiédir, puis refroidir au réfrigérateur. Placer au congélateur.

La veille du repas, laisser décongeler la préparation au réfrigérateur.

Au moment du repas, réchauffer la préparation au poulet dans une casserole ou au micro-ondes.

PAR PORTION	
Calories	332
Protéines	42 g
Matières grasses	7 g
Glucides	9 g
Fibres	0 g
Fer	1 mg
Calcium	15 mg
Sodium	992 mg

Idée pour accompagner

Riz à l'origan

Dans une casserole, porter à ébullition 250 ml (1 tasse) de bouillon de poulet. Ajouter 125 ml (½ tasse) de riz blanc à grains longs. Couvrir et cuire de 15 à 18 minutes à feu doux. Ajouter 60 ml (¼ de tasse) d'oignons verts hachés et 5 ml (1 c. à thé) d'origan haché. Saler, poivrer et remuer.

PRÉVOIR AUSSI :

➤ **Ail**
haché
10 ml (2 c. à thé)

➤ 1 **oignon**
haché

FACULTATIF :
➤ **Pâte de tomates**
15 ml (1 c. à soupe)

Veau
675 g (1 ½ lb) de cubes
à ragoût

1

2 carottes
coupées en rondelles

2

3 tomates
coupées en dés

3

1 poivron vert
coupé en cubes

4

Paprika
30 ml (2 c. à soupe)

5

PRÉVOIR AUSSI :
➤ 1 **oignon**
  haché
➤ **Bouillon de bœuf**
  500 ml (2 tasses)

FACULTATIF :
➤ **Laurier**
  1 feuille

Veau à la hongroise

Préparation : **15 minutes** • Cuisson : **1 heure** • Quantité : **4 portions**

Préparation

Dans une grande casserole, chauffer un peu d'huile de canola à feu moyen-élevé. Faire dorer les cubes de veau quelques minutes sur toutes les faces.

Ajouter les carottes, les tomates, le poivron, l'oignon, le bouillon de bœuf, le paprika et, si désiré, la feuille de laurier. Remuer. Couvrir et laisser mijoter de 1 heure à 1 heure 30 minutes à feu doux.

Retirer du feu. Répartir la préparation dans des contenants hermétiques. Laisser tiédir, puis refroidir au réfrigérateur. Placer au congélateur.

La veille du repas, laisser décongeler la préparation au réfrigérateur.

Au moment du repas, réchauffer la préparation dans une casserole ou au micro-ondes.

PAR PORTION	
Calories	320
Protéines	40 g
Matières grasses	11 g
Glucides	16 g
Fibres	4 g
Fer	5 mg
Calcium	53 mg
Sodium	526 mg

Option santé

Le veau

Saviez-vous que le veau procure moins de gras que le bœuf ? Cette viande provient de jeunes bovines âgées de 6 à 7 ans. Or, à ce stade, la structure de la viande est différente, révélant une chair plus maigre, une texture plus tendre et une saveur plus douce. Les coupes de veau les plus maigres sont l'escalope, le rôti, le steak ainsi que la côtelette. Par ailleurs, sa teneur élevée en fer, en zinc ainsi qu'en vitamines du groupe B en fait aussi un allié santé !

Porc ①
750 g (environ 1 ⅔ lb)
de cubes à ragoût

Sirop d'érable ②
125 ml (½ tasse)

**2 pommes
Délicieuse rouge** ③
coupées en quartiers

**1 petite courge
Butternut** ④
coupée en cubes

**8 à 10 choux
de Bruxelles** ⑤

PRÉVOIR AUSSI :
➤ **Farine**
30 ml (2 c. à soupe)
➤ **Bouillon de poulet**
750 ml (3 tasses)

FACULTATIF :
➤ **1 oignon**
émincé
➤ **Ail**
haché
15 ml (1 c. à soupe)

Mijoté de porc pommes, courge et érable

Préparation : **15 minutes** • Cuisson : **48 minutes** • Quantité : **4 portions**

Préparation

Dans une casserole, chauffer un peu d'huile d'olive à feu moyen. Faire dorer les cubes de porc de 3 à 4 minutes sur toutes les faces.

Si désiré, ajouter l'oignon et l'ail. Cuire 1 minute.

Saupoudrer de farine et remuer. Verser le sirop d'érable et le bouillon de poulet. Saler et poivrer. Porter à ébullition, puis laisser mijoter 30 minutes à feu doux-moyen.

Ajouter les pommes, les cubes de courge et les choux de Bruxelles. Prolonger la cuisson de 15 à 20 minutes, jusqu'à ce que les légumes soient tendres.

Retirer du feu. Répartir la préparation dans des contenants hermétiques. Laisser tiédir, puis refroidir au réfrigérateur. Placer au congélateur.

La veille du repas, laisser décongeler la préparation au réfrigérateur.

Au moment du repas, réchauffer le mijoté de porc dans une casserole ou au micro-ondes.

Astuce 5•15

Comment parer une courge

La pelure coriace de la courge vous donne du fil à retordre ? Ne vous découragez pas ! Pour l'attendrir, chauffez-la de 2 à 3 minutes au micro-ondes à puissance maximale : elle sera beaucoup plus facile à parer ! Déposez-la ensuite sur une planche à découper, pelez-la à l'aide d'un économe, coupez la courge en deux, puis retirez les graines à l'aide d'une cuillère. Un truc simple, mais efficace !

PAR PORTION	
Calories	570
Protéines	46 g
Matières grasses	19 g
Glucides	57 g
Fibres	5 g
Fer	4 mg
Calcium	143 mg
Sodium	835 mg

Soupe-repas aux tomates, lentilles et pois chiches

Préparation : **15 minutes** • Cuisson : **27 minutes** • Quantité : **4 portions**

Préparation

Dans une casserole, chauffer un peu d'huile d'olive à feu moyen. Cuire l'oignon et, si désiré, l'ail et le gingembre 1 minute.

Ajouter la pâte de cari et cuire 30 secondes, jusqu'à ce que les arômes se libèrent.

Ajouter le lait de coco, les tomates, les lentilles, la moitié des pois chiches et le bouillon. Remuer. Porter à ébullition, puis laisser mijoter de 25 à 30 minutes à feu doux-moyen.

Dans le contenant du mélangeur, déposer la préparation aux lentilles. Émulsionner 1 minute, jusqu'à l'obtention d'une soupe lisse.

Répartir la soupe dans des contenants hermétiques, puis répartir les pois chiches restants dans les contenants. Laisser tiédir, puis refroidir complètement au réfrigérateur.

La veille du repas, laisser décongeler la soupe au réfrigérateur.

Au moment du repas, réchauffer la soupe dans une casserole ou au micro-ondes.

Idée pour accompagner

Garniture aux tomates et piment thaï

Dans un bol, mélanger 10 tomates raisins coupées en quatre avec 30 ml (2 c. à soupe) de coriandre hachée, 30 ml (2 c. à soupe) d'huile de sésame (non grillé) et 1 piment thaï haché.

PAR PORTION	
Calories	503
Protéines	21 g
Matières grasses	22 g
Glucides	59 g
Fibres	11 g
Fer	7 mg
Calcium	99 mg
Sodium	924 mg

Pâte de cari rouge ❶
30 ml (2 c. à soupe)

Lait de coco ❷
1 boîte de 398 ml

4 tomates italiennes ❸
coupées en quatre

Lentilles corail ❹
ou rouges
sèches
180 ml (¾ de tasse)

Pois chiches ❺
rincés et égouttés
1 boîte de 540 ml

PRÉVOIR AUSSI :
➤ **1 oignon**
haché
➤ **Bouillon de légumes**
500 ml (2 tasses)

FACULTATIF :
➤ **Ail**
2 gousses hachées
➤ **Gingembre**
haché
15 ml (1 c. à soupe)

Bœuf ①
750 g (1 ⅔ lb)
de cubes à ragoût

Ail ②
haché
15 ml (1 c. à soupe)

Assaisonnements italiens ③
15 ml (1 c. à soupe)

Tomate en dés ④
1 boîte de 796 ml

Jus de tomate ⑤
250 ml (1 tasse)

PRÉVOIR AUSSI :
➤ **1 oignon**
haché
➤ **Farine**
30 ml (2 c. à soupe)

Bœuf à l'italienne

Préparation : **15 minutes** • Cuisson : **1 heure 30 minutes** • Quantité : **4 portions**

Préparation

Dans une casserole, chauffer un peu d'huile de canola à feu moyen. Faire dorer quelques cubes de bœuf à la fois sur toutes les faces de 2 à 3 minutes.

Ajouter l'ail et l'oignon. Cuire de 1 à 2 minutes.

Saupoudrer de farine et cuire 1 minute en remuant.

Ajouter les assaisonnements italiens, les tomates en dés et le jus de tomate. Porter à ébullition, puis couvrir et laisser mijoter de 1 heure 30 minutes à 2 heures à feu doux.

Répartir la préparation dans des contenants hermétiques. Laisser tiédir, puis refroidir complètement au réfrigérateur. Placer au congélateur.

La veille du repas, laisser décongeler la préparation au réfrigérateur.

Au moment du repas, réchauffer la préparation dans une poêle ou au micro-ondes.

PAR PORTION	
Calories	427
Protéines	44 g
Matières grasses	18 g
Glucides	20 g
Fibres	2 g
Fer	6 mg
Calcium	112 mg
Sodium	659 mg

Idée pour accompagner

Purée de pommes de terre à l'ail

Dans une casserole, déposer 6 pommes de terre non pelées et 2 gousses d'ail entières pelées. Couvrir d'eau froide salée. Porter à ébullition, puis cuire de 15 à 20 minutes, jusqu'à tendreté. Égoutter, puis réduire en purée. Incorporer 125 ml (½ tasse) de crème sure, 15 ml (1 c. à soupe) de moutarde à l'ancienne et 30 ml (2 c. à soupe) de ciboulette hachée. Saler et poivrer.

Porc
1 kg (environ 2 ¼ lb) de
cubes à ragoût

1

Vin rouge
250 ml (1 tasse)

2

**Sauce aux canne-
berges en gelée**
250 ml (1 tasse)

3

Échalotes sèches
(françaises)
émincées
60 ml (¼ de tasse)

4

Canneberges
fraîches ou séchées
125 ml (½ tasse)

5

Ragoût de porc aux canneberges

Préparation : **15 minutes** • Cuisson à faible intensité : **8 heures** • Quantité : **de 4 à 6 portions**

Préparation

Déposer les cubes de porc et la farine dans un bol.
Remuer afin de bien enrober les cubes de porc de farine.
Secouer pour enlever l'excédent de farine.

Dans une casserole, chauffer un peu d'huile de canola
à feu moyen-élevé. Faire dorer les cubes de porc sur
toutes les faces. Déposer dans la mijoteuse. Retirer
l'huile de cuisson de la poêle.

Verser le vin rouge et la sauce aux canneberges dans la
poêle. Porter à ébullition en remuant de temps en temps.
Verser dans la mijoteuse.

Ajouter les échalotes, les canneberges et, si désiré,
le piment de Cayenne dans la mijoteuse. Saler.

Couvrir et cuire de 8 à 10 heures à faible intensité
ou de 4 à 6 heures à intensité élevée.

Répartir le ragoût dans des contenants hermétiques.
Laisser tiédir, puis refroidir au réfrigérateur.

Placer les contenants au congélateur.

La veille du repas, laisser décongeler le ragoût
au réfrigérateur.

Au moment du repas, réchauffer le ragoût
dans une casserole ou au micro-ondes.

PAR PORTION	
Calories	446
Protéines	36 g
Matières grasses	15 g
Glucides	33 g
Fibres	2 g
Fer	2 mg
Calcium	36 mg
Sodium	100 mg

Option santé

La canneberge, on en met partout !

Riche en antioxydants, la canneberge se consomme de
toutes les façons. Elle ne sert donc plus exclusivement à
escorter la dinde au réveillon ! En version séchée, congelée,
en gelée ou nature, dégustez ce fruit vitaminé à longueur
d'année dans vos salades, yogourts, muffins… sans oublier
dans vos plats mijotés à base de porc ou de volaille !

PRÉVOIR AUSSI :
➤ **Farine**
30 ml (2 c. à soupe)

FACULTATIF :
➤ **Piment de Cayenne**
au goût

Échalotes sèches ①
(françaises)
hachées
60 ml (¼ de tasse)

Champignons ②
émincés
1 paquet de 227 g

Vin blanc ③
80 ml (⅓ de tasse)

Lait 2 % ④
250 ml (1 tasse)

Sole ⑤
8 filets

Filets de sole à la crème de champignons

Préparation : **15 minutes** • Cuisson : **15 minutes** • Quantité : **4 portions**

Préparation

Dans une poêle, faire fondre un peu de beurre à feu moyen. Cuire les échalotes et les champignons de 2 à 3 minutes.

Ajouter le vin et cuire de 2 à 3 minutes.

Ajouter le lait et porter à ébullition.

Déposer les filets de sole dans la poêle. Saler et poivrer. Couvrir et laisser mijoter de 15 à 18 minutes à feu doux-moyen.

Retirer du feu, laisser tiédir, puis refroidir au réfrigérateur.

Répartir la préparation dans des contenants hermétiques. Placer au congélateur.

La veille du repas, laisser décongeler la préparation au réfrigérateur.

Au moment du repas, réchauffer la préparation dans une poêle ou au micro-ondes.

Si désiré, parsemer de persil au moment de servir.

PAR PORTION	
Calories	303
Protéines	42 g
Matières grasses	10 g
Glucides	7 g
Fibres	1 g
Fer	1 mg
Calcium	125 mg
Sodium	199 mg

Idée pour accompagner

Salade de haricots et tomates à la mozzarina

Dans une casserole d'eau bouillante salée, blanchir 250 g (environ ½ lb) de haricots jaunes et verts de 3 à 5 minutes, jusqu'à tendreté. Rincer sous l'eau très froide et égoutter. Couper les haricots en morceaux. Dans un saladier, mélanger 60 ml (¼ de tasse) d'huile d'olive avec 15 ml (1 c. à soupe) de vinaigre balsamique et 15 ml (1 c. à soupe) de miel. Ajouter 12 tomates cerises coupées en deux, le contenu de 1 paquet de mozzarella fraîche (de type mozzarina) de 250 g coupée en petits cubes et les haricots. Saler, poivrer et remuer.

FACULTATIF :
➤ **Persil**
haché
30 ml (2 c. à soupe)

Mijoté de bœuf épicé à la texane

Préparation : **15 minutes** • Cuisson à faible intensité : **8 heures** • Quantité : **4 portions**

Bœuf ❶
675 g (environ 1 ½ lb)
de cubes à ragoût

Vin blanc ❷
250 ml (1 tasse)

Sauce chili ❸
60 ml (¼ de tasse)

Vinaigre de vin rouge ❹
45 ml (3 c. à soupe)

Cassonade ❺
30 ml (2 c. à soupe)

PRÉVOIR AUSSI :
➤ 1 **oignon**
haché
➤ **Bouillon de bœuf**
125 ml (½ tasse)

FACULTATIF :
➤ **Ail**
haché
15 ml (1 c. à soupe)
➤ 1 **jalapeño**
épépiné et haché
finement

Préparation

Dans une poêle, chauffer un peu d'huile de canola à feu moyen. Faire dorer les cubes de bœuf sur toutes les faces.

Ajouter l'oignon et cuire 1 minute en remuant.

Déposer le bœuf et l'oignon dans la mijoteuse.

Dans un bol, mélanger le vin blanc avec la sauce chili, le vinaigre de vin rouge, la cassonade, le bouillon de bœuf et, si désiré, l'ail et le jalapeño. Verser dans la mijoteuse.

Couvrir et cuire à faible intensité de 8 à 10 heures.

Répartir le mijoté dans des contenants hermétiques. Laisser tiédir, puis refroidir au réfrigérateur.

Placer les contenants au congélateur.

La veille du repas, laisser décongeler le mijoté au réfrigérateur.

Au moment du repas, réchauffer le mijoté dans une casserole ou au micro-ondes.

PAR PORTION	
Calories	420
Protéines	38 g
Matières grasses	17 g
Glucides	13 g
Fibres	2 g
Fer	4 mg
Calcium	39 mg
Sodium	449 mg

Secret de chef

Les mijotés sont bien meilleurs réchauffés !

Même les chefs s'entendent pour dire que les plats mijotés sont plus savoureux lorsqu'on les mange réchauffés. Et ce délice aux arômes texans ne fait pas exception à la règle ! Le temps de repos entre la préparation et le moment de déguster le plat permet à la viande de s'attendrir et de prendre le goût de la sauce, des épices et des légumes auxquels elle est mélangée. Alors on peut prendre de l'avance sans compromis côté saveur en préparant un délectable mijoté, puis en le congelant !

2 carottes ❶
coupées en rondelles

Céleri ❷
2 branches émincées

Bouillon de poulet ❸
réduit en sodium
2 litres (8 tasses)

Riz blanc à grains longs ❹
125 ml (½ tasse)

Poulet ❺
4 poitrines cuites
et effilochées

Soupe au poulet et riz

Préparation : **15 minutes** • Cuisson : **50 minutes** • Quantité : **de 6 à 8 portions**

Préparation

Dans une casserole, chauffer un peu d'huile et de beurre à feu moyen. Faire dorer les oignons de 1 à 2 minutes.

Ajouter les carottes, le céleri, le bouillon et, si désiré, le thym. Couvrir et laisser mijoter à feu doux 30 minutes.

Ajouter le riz et prolonger la cuisson de 18 à 20 minutes à feu doux, jusqu'à ce que le riz soit cuit.

Ajouter le poulet cuit et, si désiré, le persil. Réchauffer de 1 à 2 minutes.

Retirer du feu, laisser tiédir, puis refroidir au réfrigérateur.

Répartir la soupe dans des contenants hermétiques. Placer au congélateur.

La veille du repas, laisser la soupe décongeler au réfrigérateur.

Au moment du repas, réchauffer la soupe dans une casserole ou au micro-ondes.

PAR PORTION	
Calories	432
Protéines	28 g
Matières grasses	29 g
Glucides	15 g
Fibres	1 g
Fer	2 mg
Calcium	32 mg
Sodium	746 mg

Secret de chef

Comment faire un bouillon de poulet maison

Il va sans dire que les bouillons de poulet du commerce sont plus pratiques pour concocter des repas express… mais rien n'équivaut ceux que l'on prenait jadis l'habitude de cuisiner maison ! La prochaine fois que vous aurez sous la main une carcasse de poulet, faites-la bouillir à feu doux dans une casserole pendant une heure sans couvercle avec un léger assaisonnement (carottes, céleri, oignons, ail, thym et laurier), puis tamisez le bouillon. Vous pourrez ensuite congeler le liquide, et ainsi avoir toujours sous la main du bon bouillon de poulet maison !

FACULTATIF :
➤ **Thym**
haché
15 ml (1 c. à soupe)

➤ **Persil**
haché
30 ml (2 c. à soupe)

PRÉVOIR AUSSI :
➤ **2 oignons**
hachés

Pizzas pochettes au bœuf

Préparation : **15 minutes** • Cuisson : **33 minutes** • Quantité : **4 portions**

Préparation

Préchauffer le four à 205 °C (400 °F).

Dans une poêle, chauffer un peu d'huile d'olive à feu moyen. Cuire le bœuf haché de 4 à 5 minutes en égrainant la viande à l'aide d'une cuillère en bois, jusqu'à ce qu'elle ait perdu sa teinte rosée.

Ajouter la sauce à pizza et remuer. Cuire 4 minutes. Retirer du feu et laisser tiédir.

Diviser la pâte à pizza en quatre. Sur une surface farinée, étirer chaque part de pâte en un cercle de 20 cm (8 po) de diamètre.

Garnir la moitié de chacune des pâtes de préparation au bœuf, de poivron et de fromages râpés, en laissant un pourtour libre de 2 cm (¾ de po).

Badigeonner le pourtour des cercles de pâte d'un peu de jaune d'œuf.

Replier la pâte sur la garniture et presser le rebord à l'aide d'une fourchette afin de le sceller. Badigeonner le dessus des pizzas pochettes du jaune d'œuf restant.

Déposer les pizzas sur une plaque de cuisson tapissée de papier parchemin. Cuire au four de 25 à 30 minutes.

Retirer du four. Laisser tiédir, puis refroidir au réfrigérateur.

Déposer les pizzas dans un grand sac de congélation. Retirer l'air du sac et sceller. Placer au congélateur.

La veille du repas, laisser décongeler les pizzas au réfrigérateur.

Au moment du repas, réchauffer les pizzas pochettes au four ou au micro-ondes.

PAR PORTION	
Calories	721
Protéines	38 g
Matières grasses	29 g
Glucides	74 g
Fibres	4 g
Fer	7 mg
Calcium	301 mg
Sodium	865 mg

Pour varier

Opter pour le veau haché

Le bœuf et le veau se distinguent par leur couleur et leur saveur : le bœuf est une viande rouge au goût plus puissant, tandis que le veau est une viande blanche maigre au goût légèrement moins prononcé. Mais plus encore, elles présentent différentes vertus santé : à quantités égales de calories et de protéines, le veau contient un peu moins de lipides, d'acides gras saturés et de cholestérol que le bœuf. En ce qui concerne les minéraux, le bœuf en contient un peu plus que le veau. Ces deux viandes sont donc aussi intéressantes du point de vue de la nutrition. Le secret est de varier !

Bœuf haché ①
mi-maigre
300 g (⅔ de lb)

Sauce à pizza ②
180 ml (¾ de tasse)

Pâte à pizza ③
600 g (1 ⅓ lb)

1 poivron vert ④
émincé

**Mélange de quatre
fromages râpés** ⑤
375 ml (1 ½ tasse)

PRÉVOIR AUSSI :
➤ **Œuf**
1 jaune battu
avec un peu d'eau

32 craquelins
de type Ritz
écrasés
1

Crabe **2**
450 g (1 lb) de chair
bien égouttée

Chapelure panko **3**
125 ml (½ tasse)

Mayonnaise **4**
60 ml (¼ de tasse)

Citron **5**
15 ml (1 c. à soupe)
de zestes

PRÉVOIR AUSSI :
➤ **Lait 2 %**
60 ml (¼ de tasse)

➤ **1 œuf**
battu

Crab cakes

Préparation : **15 minutes** • Temps de repos : **5 minutes** • Cuisson : **20 minutes** • Quantité : **4 portions** *(8 crab cakes)*

Préparation

Préchauffer le four à 205 °C (400 °F).

Dans un bol, mélanger les biscuits avec le lait. Laisser reposer 5 minutes.

Ajouter la chair de crabe, la chapelure, la mayonnaise, les zestes, l'œuf battu et, si désiré, l'aneth et la ciboulette dans le bol. Saler, poivrer et remuer jusqu'à l'obtention d'une préparation homogène.

Façonner huit boules en utilisant environ 80 ml (⅓ de tasse) de préparation pour chacune d'elles.

Beurrer huit alvéoles d'un moule à muffins, puis y déposer les boules au crabe. Enfoncer légèrement les boules dans les alvéoles.

Cuire au four de 20 à 25 minutes. Retirer du four, laisser tiédir, puis refroidir au réfrigérateur.

Déposer les *crab cakes* dans un grand sac hermétique. Retirer l'air du sac et sceller. Placer au congélateur.

La veille du repas, laisser décongeler les *crab cakes* au réfrigérateur.

Au moment du repas, réchauffer les *crab cakes* au four ou au micro-ondes.

PAR PORTION	
2 crab cakes	
Calories	370
Protéines	19 g
Matières grasses	19 g
Glucides	25 g
Fibres	0 g
Fer	1 mg
Calcium	133 mg
Sodium	1026 mg

Idée pour accompagner

Sauce tartare aux fines herbes

Mélanger 125 ml (½ tasse) de mayonnaise avec 45 ml (3 c. à soupe) de yogourt grec nature, 30 ml (2 c. à soupe) de cornichons hachés, 15 ml (1 c. à soupe) de câpres hachées, 30 ml (2 c. à soupe) de ciboulette hachée, 30 ml (2 c. à soupe) de persil haché et 30 ml (2 c. à soupe) d'aneth haché. Saler et poivrer.

FACULTATIF :
➤ **Aneth**
haché
30 ml (2 c. à soupe)

➤ **Ciboulette**
hachée
45 ml (3 c. à soupe)

Farfalles
750 ml (3 tasses) ①

Fromage à la crème ②
1 contenant de 250 g

Parmesan ③
râpé
250 ml (1 tasse)

Poulet ④
cuit et coupé en dés
500 ml (2 tasses)

Tomates séchées ⑤
émincées
180 ml (¾ de tasse)

PRÉVOIR AUSSI :
➤ **Lait 2 %**
500 ml (2 tasses)

➤ **Ail**
haché
15 ml (1 c. à soupe)

Farfalles crémeuses au poulet

Préparation : **15 minutes** • Cuisson : **25 minutes** • Quantité : **4 portions**

Préparation

Dans une casserole d'eau bouillante salée, cuire les pâtes *al dente*. Égoutter.

Dans la même casserole, déposer le fromage à la crème, le parmesan, le lait et l'ail. Saler et poivrer. Porter à ébullition en remuant.

Retirer du feu. À l'aide du mélangeur-plongeur, émulsionner la préparation jusqu'à l'obtention d'une préparation lisse.

Ajouter le poulet cuit, les tomates séchées et les pâtes. Remuer. Transférer la préparation dans un plat de cuisson. Laisser tiédir, puis refroidir au congélateur.

Couvrir le plat d'une pellicule plastique, puis d'une feuille de papier d'aluminium. Placer au congélateur.

La veille du repas, laisser décongeler les farfalles au réfrigérateur.

Au moment de la cuisson, préchauffer le four à 205 °C (400 °F).

Retirer le papier d'aluminium et la pellicule plastique du plat. Cuire au four de 25 à 30 minutes.

PAR PORTION	
Calories	731
Protéines	49 g
Matières grasses	37 g
Glucides	52 g
Fibres	3 g
Fer	3 mg
Calcium	565 mg
Sodium	821 mg

Secret de chef

Quelles tomates séchées acheter?

Pour un souper express, préférez les tomates séchées conservées dans l'huile. Vous n'aurez ainsi pas besoin de les réhydrater. Ajoutez-les ensuite à vos plats de pâtes, omelettes, sauces et gratins pour une petite touche italienne ! Pensez aussi à utiliser l'huile contenue dans le pot pour parfumer vinaigrettes et marinades. Sachez qu'une fois le pot ouvert, les tomates séchées se conservent un mois au frigo.

Pâte phyllo ①
6 feuilles

Pancetta ②
précuite
en dés
1 paquet de 175 g

Poireaux ③
2 blancs émincés

Crème à cuisson 15 % ④
375 ml (1 ½ tasse)

Gruyère ⑤
ou emmenthal
râpé
250 ml (1 tasse)

PRÉVOIR AUSSI :
➤ **Beurre**
fondu
15 ml (1 c. à soupe)

➤ 6 **oeufs**

Quiche aux poireaux et pancetta

Préparation : **15 minutes** • Cuisson : **40 minutes** • Quantité : **8 portions**

Préparation

Placer la grille dans le bas du four. Préchauffer le four à 190 °C (375 °F).

Sur le plan de travail, déposer une feuille de pâte phyllo et la badigeonner de beurre. Couvrir d'une deuxième feuille en la plaçant à un angle d'environ 15 degrés par rapport à la première. Badigeonner de beurre. Répéter avec les autres feuilles.

Déposer les feuilles de pâte superposées au fond d'un moule à tarte de 23 cm (9 po) de diamètre. Réserver.

Dans une poêle, cuire la pancetta de 2 à 3 minutes à feu moyen-élevé.

Ajouter les poireaux et cuire 5 minutes, jusqu'à ce qu'ils soient tendres.

Dans un bol, fouetter la crème avec les œufs. Incorporer la pancetta, les poireaux et le fromage. Poivrer.

Verser délicatement la préparation dans le moule.

Cuire au four 40 minutes, jusqu'à ce que la pâte soit dorée et que le centre de la quiche soit pris. Retirer du four, laisser tiédir, puis refroidir au réfrigérateur.

Couvrir le moule d'une pellicule plastique, puis d'une feuille de papier d'aluminium. Placer au congélateur.

La veille du repas, laisser décongeler la quiche au réfrigérateur.

Au moment du repas, retirer la feuille de papier d'aluminium et la pellicule plastique. Réchauffer la quiche au four ou au micro-ondes.

PAR PORTION	
Calories	319
Protéines	16 g
Matières grasses	22 g
Glucides	14 g
Fibres	1 g
Fer	2 mg
Calcium	218 mg
Sodium	401 mg

Option santé

Une quiche sans pâte

Pour rendre cette quiche un peu plus santé, il suffit simplement de verser le mélange aux œufs directement dans le moule avant de faire cuire le tout. Une recette sans pâte vous permettra également de gagner de précieuses minutes en cuisine. Voilà un plat nutritif qui deviendra vite un favori de la famille !

Mélange de trois viandes hachées
(bœuf, porc et veau)
908 g (2 lb)

1

Tomates en dés avec épices
1 boîte de 796 ml

2

Soupe aux tomates condensée
1 boîte de 284 ml

3

Riz blanc étuvé à grains longs
180 ml (¾ de tasse)

4

Chou de Savoie
émincé
2,5 litres (10 tasses)

5

PRÉVOIR AUSSI :
➤ **1 oignon**
haché

➤ **Persil**
haché
60 ml (¼ de tasse)

FACULTATIF :
➤ **Ail**
haché
15 ml (1 c. à soupe)

Cigares au chou déconstruits

Préparation : **15 minutes** • Cuisson : **2 heures** • Quantité : **6 portions**

Préparation

Dans un bol, mélanger les viandes hachées avec l'oignon et, si désiré, l'ail. Saler et poivrer.

Dans un autre bol, mélanger les tomates en dés avec la soupe aux tomates, 250 ml (1 tasse) d'eau et le persil.

Dans un plat de cuisson de 33 cm x 23 cm (13 po x 9 po) légèrement huilé, répartir la moitié de la préparation à la viande. Parsemer de la moitié du riz, de la préparation aux tomates et du chou. Égaliser la surface en appuyant légèrement sur la préparation. Répéter ces étapes une fois.

Couvrir le plat d'une pellicule plastique, puis d'une feuille de papier d'aluminium. Placer au congélateur.

La veille du repas, laisser les cigares au chou décongeler au réfrigérateur.

Au moment de la cuisson, préchauffer le four à 180 °C (350 °F).

Retirer la feuille de papier d'aluminium et la pellicule plastique du plat. Remettre la feuille de papier d'aluminium sur le plat. Cuire au four de 1 heure 30 minutes à 2 heures.

Retirer la feuille de papier d'aluminium du plat et poursuivre la cuisson au four 30 minutes. Laisser reposer de 5 à 10 minutes avant de servir.

PAR PORTION	
Calories	346
Protéines	26 g
Matières grasses	15 g
Glucides	28 g
Fibres	4 g
Fer	3 mg
Calcium	99 mg
Sodium	276 mg

À découvrir

Le chou de Savoie

Aussi appelé « chou de Milan », le chou de Savoie est tendre, sucré et plus doux que le chou vert. Recherchez les choux d'un vert uni dont la tête est légèrement conique. Les feuilles doivent aussi être fermes. Le chou de Savoie se conserve environ une semaine dans le compartiment à légumes du réfrigérateur.

Croquettes de filets de sole

Préparation : **15 minutes** • Réfrigération : **30 minutes** • Cuisson : **8 minutes** • Quantité : **4 portions**

Préparation

Dans le contenant du robot culinaire, déposer les filets de sole, la chapelure, la mayonnaise, la moutarde, le jus de citron, le persil, l'œuf et, si désiré, les oignons verts. Saler et poivrer. Mélanger jusqu'à l'obtention d'une préparation grossièrement hachée. Réserver au frais 30 minutes.

Façonner huit galettes en utilisant environ 60 ml (¼ de tasse) de préparation pour chacune d'elles.

Dans une poêle, chauffer un peu d'huile d'olive à feu moyen. Cuire les galettes de 4 à 5 minutes de chaque côté.

Retirer du feu, laisser tiédir, puis refroidir au réfrigérateur.

Déposer les croquettes dans un grand sac de congélation. Retirer l'air du sac et sceller. Placer au congélateur.

La veille du repas, laisser décongeler les croquettes au réfrigérateur.

Au moment du repas, réchauffer les croquettes au four ou au micro-ondes.

PAR PORTION	
Calories	207
Protéines	24 g
Matières grasses	8 g
Glucides	8 g
Fibres	1 g
Fer	1 mg
Calcium	55 mg
Sodium	254 mg

Sole ①
450 g (1 lb) de filets coupés en cubes

Chapelure nature ②
80 ml (⅓ de tasse)

Mayonnaise ③
légère
15 ml (1 c. à soupe)

Moutarde de Dijon ④
15 ml (1 c. à soupe)

Citron ⑤
15 ml
(1 c. à soupe) de jus

Idée pour accompagner

Sauce au yogourt, citron et menthe

Mélanger 125 ml (½ tasse) de yogourt grec nature avec 15 ml (1 c. à soupe) de menthe hachée, 15 ml (1 c. à soupe) de zestes de citron et 5 ml (1 c. à thé) d'ail haché. Saler et poivrer.

PRÉVOIR AUSSI :
➤ **Persil**
haché
60 ml (¼ de tasse)
➤ **1 œuf**

FACULTATIF :
➤ **2 oignons verts**
hachés

Fettucines ①
260 g (environ ½ lb)

Fromage à la crème ②
léger
1 contenant de 250 g

Parmesan ③
râpé
80 ml (⅓ de tasse)

Persil ④
haché
30 ml (2 c. à soupe)

Thym ⑤
1 tige effeuillée

PRÉVOIR AUSSI :
➤ **Ail**
1 gousse hachée
finement

Fettucines Alfredo

Préparation : **15 minutes** • Cuisson : **12 minutes** • Quantité : **4 portions**

Préparation

Dans une casserole d'eau bouillante salée, cuire les fettucines *al dente*. Égoutter en prenant soin de réserver 125 ml (½ tasse) d'eau de cuisson.

Dans la même casserole, faire fondre à feu doux le fromage à la crème avec 60 ml (¼ de tasse) d'eau de cuisson des pâtes en remuant.

Ajouter le parmesan, le persil, le thym et l'ail. Remuer.

Remettre les pâtes dans la casserole et bien mélanger. Poivrer généreusement. Si la préparation semble trop sèche, ajouter un peu d'eau de cuisson réservée.

Laisser tiédir, puis refroidir au réfrigérateur.

Déposer les pâtes dans des contenants hermétiques. Placer au congélateur.

La veille du repas, laisser décongeler les pâtes au réfrigérateur.

Au moment du repas, réchauffer les pâtes dans une casserole ou au micro-ondes.

PAR PORTION	
Calories	394
Protéines	16 g
Matières grasses	13 g
Glucides	54 g
Fibres	3 g
Fer	2 mg
Calcium	223 mg
Sodium	438 mg

À découvrir

Qui est le créateur des pâtes Alfredo

L'histoire raconte qu'un cuisinier italien du nom d'Alfredo Di Lelio aurait élaboré cette sauce pour redonner l'appétit à sa conjointe durant sa grossesse. Il a prêté son nom au célèbre plat de fettucines qu'il a ensuite servi dans son restaurant ouvert à Rome en 1914. Une centaine d'années plus tard, la recette conserve les mêmes ingrédients : du beurre, de la crème et du parmesan. Bien que légèrement différente, la version allégée que l'on vous propose ici est tout aussi gagnante !

1 poireau ①
émincé

1 carotte ②
coupée en julienne

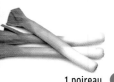

Pâte feuilletée ③
surgelée, décongelée
2 paquets de 400 g
chacun

Saumon ④
8 filets de 150 g
(⅓ de lb) chacun,
la peau enlevée

Œuf ⑤
1 jaune battu
avec un peu d'eau

Saumon Wellington

Préparation : **15 minutes** • Cuisson : **30 minutes** • Quantité : **8 portions**

Préparation

Dans une poêle, chauffer un peu d'huile d'olive à feu moyen. Cuire le poireau et la carotte de 2 à 3 minutes. Retirer du feu et laisser tiédir.

Sur une surface légèrement farinée, abaisser un paquet de pâte et y découper huit rectangles de 15,5 cm x 7,5 cm (6 po x 3 po) chacun. Déposer les rectangles sur une plaque de cuisson tapissée de papier parchemin. Abaisser l'autre paquet de pâte et y découper huit rectangles de 18 cm x 10 cm (7 po x 4 po) chacun. Déposer un filet de saumon au centre de chacun des premiers rectangles de pâte. Répartir la garniture aux légumes sur les filets.

Badigeonner le pourtour des pâtes avec le jaune d'œuf. Couvrir avec les pâtes restantes et sceller les rebords à l'aide d'une fourchette.

Placer au congélateur de 2 à 3 heures.

Emballer les wellingtons individuellement dans des feuilles de papier d'aluminium. Déposer les wellingtons dans des sacs de congélation. Retirer l'air des sacs et sceller. Placer au congélateur.

Au moment de la cuisson, préchauffer le four à 190 °C (375 °F).

Retirer le papier d'aluminium des wellingtons. Déposer les wellingtons congelés sur une plaque de cuisson tapissée de papier parchemin.

Badigeonner la pâte avec un peu de jaune d'œuf.

Cuire les wellingtons au four 30 minutes, jusqu'à ce que la croûte soit dorée.

PAR PORTION	
Calories	893
Protéines	38 g
Matières grasses	61 g
Glucides	47 g
Fibres	2 g
Fer	3 mg
Calcium	33 mg
Sodium	341 mg

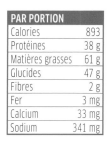

Idée pour accompagner

Sauce crémeuse au vin blanc et parmesan

Dans une casserole, porter à ébullition 125 ml (½ tasse) de vin blanc avec 60 ml (¼ de tasse) d'échalotes sèches (françaises) hachées à feu moyen, puis laisser mijoter jusqu'à réduction complète du liquide. Verser 375 ml (1 ½ tasse) de crème à cuisson 15 % et laisser mijoter de 5 à 6 minutes à feu doux. Incorporer 30 ml (2 c. à soupe) de ciboulette hachée, 30 ml (2 c. à soupe) d'aneth haché et 60 ml (¼ de tasse) de parmesan râpé. Saler et poivrer.

Burritos aux haricots et maïs

Préparation : **15 minutes** • Cuisson : **25 minutes** • Quantité : **4 portions**

Haricots noirs ①
rincés et égouttés
1 boîte de 540 ml

Maïs ②
surgelé
250 ml (1 tasse)
de grains

Salsa ③
du commerce
125 ml (½ tasse)

Tortillas ④
8 moyennes

**Mélange de
fromages râpés** ⑤
de type tex-mex
500 ml (2 tasses)

Préparation

Dans un bol, mélanger les haricots avec le maïs
et la salsa. Saler et poivrer.

Au centre des tortillas, répartir la préparation aux
haricots et le fromage. Rouler les tortillas en serrant.

Sur une plaque de cuisson tapissée d'une feuille de
papier parchemin, déposer les burritos. Placer au
congélateur 3 heures.

Déposer les burritos dans des sacs de congélation.
Retirer l'air des sacs et sceller.

La veille du repas, laisser décongeler les burritos
au réfrigérateur.

Au moment de la cuisson, préchauffer le four
à 205 °C (400 °F).

Déposer les burritos sur une plaque de cuisson tapissée d'une feuille de papier parchemin. Cuire au four
de 25 à 30 minutes.

PAR PORTION	
Calories	514
Protéines	26 g
Matières grasses	18 g
Glucides	62 g
Fibres	9 g
Fer	3 mg
Calcium	72 mg
Sodium	1 037 mg

Version maison

Salsa

Dans une casserole, chauffer 30 ml
(2 c. à soupe) d'huile d'olive. Cuire
2 oignons coupés en dés et 15 ml (1 c. à soupe)
d'ail haché de 2 à 3 minutes. Ajouter 4 poivrons de couleurs variées coupés en dés, de 8 à 10 tomates coupées
en dés, 1 jalapeño épepiné et haché, 60 ml (¼ de tasse)
de pâte de tomates, 60 ml (¼ de tasse) de vinaigre de
vin rouge et 45 ml (3 c. à soupe) de sucre. Porter à
ébullition, puis laisser mijoter à feu doux de 20 à 25 minutes. Ajouter 45 ml (3 c. à soupe) de coriandre hachée
et remuer. Cuire 5 minutes.

6 grosses pommes de terre
Russet, Idaho ou Yukon Gold
1

Farine
125 ml (½ tasse)
2

Lait 2 %
625 ml (2 ½ tasses)
3

Thon
égoutté
2 boîtes de 170 g chacune
4

Macédoine de légumes surgelés
décongelés
750 ml (3 tasses)
5

PRÉVOIR AUSSI :
➤ **Beurre**
80 ml (⅓ de tasse)

➤ **1 oignon**
émincé

FACULTATIF :
➤ **Persil**
haché
45 ml (3 c. à soupe)

Hachis au thon et légumes

Préparation : **15 minutes** • Cuisson : **25 minutes** • Quantité : **6 portions**

Préparation

Éplucher et couper les pommes de terre en cubes. Déposer dans une casserole et couvrir d'eau froide. Porter à ébullition, puis cuire 20 minutes à feu moyen.

Pendant ce temps, faire fondre le beurre dans une autre casserole. Faire dorer l'oignon de 2 à 3 minutes.

Saupoudrer de farine et cuire 1 minute en remuant. Verser le lait et porter à ébullition en fouettant. Saler et poivrer.

Incorporer le thon, la macédoine de légumes et, si désiré, le persil à la sauce.

Répartir la préparation dans de petits plats en aluminium de 14,5 cm x 12 cm (5 ¾ po x 4 ¾ po) ou dans un plat de cuisson rectangulaire de 33 cm x 23 cm (13 po x 9 po).

Égoutter les pommes de terre et réduire en purée. Étaler la purée sur la préparation au thon. Laisser tiédir, puis refroidir au réfrigérateur.

Couvrir les plats d'une pellicule plastique, puis de papier d'aluminium. Placer au congélateur.

La veille du repas, laisser décongeler le hachis au réfrigérateur.

Au moment de la cuisson, préchauffer le four à 180 °C (350 °F).

Retirer le papier d'aluminium et la pellicule plastique des plats. Cuire au four de 25 à 30 minutes.

Astuce 5•15

On adopte le thon en conserve !

Quoi de plus pratique qu'une protéine toute prête pour les repas pressés ? Et surtout quand celle-ci s'avère économique ! En ayant toujours en réserve des conserves de thon, on s'assure de ne pas être pris au dépourvu et de pouvoir en tout temps préparer de délicieux repas complets et vite faits. On n'oublie toutefois pas de bien égoutter le thon au préalable !

PAR PORTION	
Calories	561
Protéines	30 g
Matières grasses	14 g
Glucides	93 g
Fibres	9 g
Fer	5 mg
Calcium	219 mg
Sodium	203 mg

Nouilles au porc et ratatouille

Préparation : **15 minutes** • Cuisson : **14 minutes** • Quantité : **4 portions**

Préparation

Dans une poêle, chauffer un peu d'huile d'olive à feu moyen. Faire dorer les filets de porc sur toutes les faces de 2 à 3 minutes.

Ajouter les tomates en dés et porter à ébullition.

Incorporer les courgettes, l'aubergine, l'ail, l'oignon et, si désiré, les carottes. Saler et poivrer. Couvrir et laisser mijoter de 12 à 15 minutes à feu moyen.

Retirer du feu, laisser tiédir, puis refroidir au réfrigérateur.

Déposer les filets de porc et la préparation aux légumes dans des contenants hermétiques. Placer au congélateur.

La veille du repas, laisser décongeler les filets de porc et les légumes au réfrigérateur.

Au moment du repas, cuire les nouilles selon les indications de l'emballage. Égoutter.

Réchauffer les files de porc et les légumes dans une poêle ou au micro-ondes. Servir avec les nouilles.

PAR PORTION	
Calories	674
Protéines	56 g
Matières grasses	12 g
Glucides	87 g
Fibres	9 g
Fer	7 mg
Calcium	158 mg
Sodium	452 mg

À découvrir

La ratatouille

La ratatouille est un ragoût de légumes assaisonnés typique de la Provence qui doit son nom au verbe « touiller », qui signifie « brasser ». Elle est généralement composée d'aubergines, d'oignons, de courgettes, de poivrons, de tomates et d'ail. Même si on la sert souvent en accompagnement d'un poisson ou de poulet, elle fait bon ménage avec la chair de porc et peut aussi faire office de plat principal avec du riz. En version chaude ou froide, c'est aussi délicieux !

Porc
2 filets de 350 g
(environ ¾ de lb) chacun
1

Tomates en dés
1 boîte de 796 ml
2

2 courgettes
coupées en cubes
3

1 petite aubergine
coupée en cubes
4

Nouilles aux œufs
1 paquet de 340 g
5

PRÉVOIR AUSSI :
➤ **Ail**
haché
15 ml (1 c. à soupe)
➤ 1 **oignon**
haché

FACULTATIF :
➤ 2 **carottes**
coupées en dés

Quiche au saumon et pancetta

Préparation : **15 minutes** • Cuisson : **35 minutes** • Quantité : **de 4 à 6 portions**

Préparation

Préchauffer le four à 190 °C (375 °F).

Dans une poêle, chauffer un peu d'huile d'olive à feu moyen. Cuire la pancetta et les bébés épinards de 1 à 2 minutes. Retirer du feu et laisser tiédir.

Répartir la préparation à la pancetta et les dés de saumon dans la croûte à tarte.

Dans un bol, fouetter les œufs avec la crème et, si désiré, l'aneth. Saler et poivrer. Verser cette préparation dans la croûte à tarte.

Cuire au four de 35 à 40 minutes.

Retirer du four, laisser tiédir, puis refroidir au réfrigérateur.

Emballer la quiche dans une pellicule plastique, puis dans une feuille de papier d'aluminium. Placer au congélateur.

La veille du repas, laisser décongeler la quiche au réfrigérateur.

Au moment du repas, retirer le papier d'aluminium et la pellicule plastique. Réchauffer la quiche au four ou au micro-ondes.

PAR PORTION	
Calories	352
Protéines	20 g
Matières grasses	23 g
Glucides	14 g
Fibres	2 g
Fer	2 mg
Calcium	53 mg
Sodium	298 mg

Astuce 5•15

Opter pour de la pancetta précuite et précoupée

Pour rehausser un plat de pâtes, relever le goût d'une omelette ou assaisonner une salade, les charcuteries italiennes font des miracles. Afin de gagner du temps en cuisine, optez pour la pancetta précuite et coupée en petits dés : elle s'intégrera en deux temps trois mouvements aux recettes de tous les jours !

Pancetta ❶
précuite en dés
80 g (environ 2 ¾ oz)

Bébés épinards ❷
1 litre (4 tasses)

Saumon ❸
300 g (⅔ de lb)
de filet, la peau enlevée
et coupé en dés

1 croûte à tarte ❹

Crème à cuisson 15 % ❺
80 ml (⅓ de tasse)

PRÉVOIR AUSSI :
➤ 3 **œufs**

FACULTATIF :
➤ **Aneth**
haché
60 ml (¼ de tasse)

244

Crème de poulet ❶
1 boîte de 284 ml

Moutarde de Dijon ❷
5 ml (1 c. à thé)

Macédoine de légumes surgelés ❸
375 ml (1 ½ tasse)

Poulet ❹
cuit et coupé en dés
500 ml (2 tasses)

Pâte à tarte ❺
300 g (⅔ de lb)

PRÉVOIR AUSSI :
➤ **Lait 2 %**
125 ml (½ tasse)
➤ **Œuf**
1 jaune battu

Pâté au poulet vite fait

Préparation : **15 minutes** • Cuisson : **20 minutes** • Quantité : **4 portions**

Préparation

Préchauffer le four à 205 °C (400 °F).

Dans une casserole, mélanger la crème de poulet avec la moutarde de Dijon et le lait. Chauffer à feu moyen 5 minutes.

Ajouter les légumes et le poulet cuit. Porter à ébullition, puis laisser mijoter à feu doux 5 minutes.

Répartir la préparation dans quatre petits plats de cuisson ou ramequins.

Sur une surface farinée, abaisser la pâte en quatre carrés de dimensions légèrement supérieures à celles des plats.

Badigeonner le rebord des plats de jaune d'œuf battu, puis déposer un morceau de pâte sur chacun d'eux. Presser la pâte sur le rebord des plats afin de sceller.

Cuire au four 10 minutes. Retirer du four, laisser tiédir, puis refroidir au réfrigérateur.

Couvrir les plats d'une pellicule plastique, puis de papier d'aluminium. Placer au congélateur.

La veille du repas, laisser décongeler les pâtés au poulet au réfrigérateur.

Au moment du repas, retirer le papier d'aluminium et la pellicule plastique des plats. Réchauffer les pâtés au four ou au micro-ondes.

PAR PORTION	
Calories	537
Protéines	32 g
Matières grasses	25 g
Glucides	51 g
Fibres	4 g
Fer	2 mg
Calcium	88 mg
Sodium	849 mg

Astuce 5•15

Faites des réserves !

Se prêtant à merveille à la congélation, ce pâté des plus classiques comble vite fait bien fait les appétits lors des soupers de semaine à la course. Comme il peut être congelé jusqu'à trois mois, n'hésitez pas à en cuisiner plusieurs d'un coup : c'est un dépanneur ultra pratique et savoureux !

Recette de Rebecca Bouchard

Mini-galettes de poulet à la coriandre

Préparation : **15 minutes** • Cuisson : **12 minutes** • Quantité : **12 mini-galettes**

Poulet ❶
450 g (1 lb)
de poitrines sans peau

Chapelure nature ❷
60 ml (¼ de tasse)

Préparation

Couper les poitrines de poulet en dés. Déposer dans le contenant du robot culinaire et hacher grossièrement.

Transférer le poulet haché dans un grand bol. Ajouter le reste des ingrédients et bien mélanger.

Façonner douze galettes minces en utilisant environ 45 ml (3 c. à soupe) de préparation pour chacune d'elles.

Dans une grande poêle, chauffer un peu d'huile de sésame (non grillé) ou d'huile de canola à feu moyen. Cuire la moitié des galettes de 3 à 4 minutes de chaque côté, jusqu'à ce que l'intérieur ait perdu sa teinte rosée. Déposer dans une assiette. Répéter avec le reste des galettes.

Laisser tiédir, puis refroidir au réfrigérateur.

Déposer les galettes dans un grand sac de congélation. Retirer l'air du sac et sceller. Placer au congélateur.

La veille du repas, laisser décongeler les galettes au réfrigérateur.

Au moment du repas, réchauffer les galettes au four ou au micro-ondes.

PAR PORTION	
Calories	233
Protéines	28 g
Matières grasses	10 g
Glucides	5 g
Fibres	0 g
Fer	1 mg
Calcium	26 mg
Sodium	349 mg

Coriandre ❸
hachée
30 ml (2 c. à soupe)

Sauce soya ❹
15 ml (1 c. à soupe)

Idée pour accompagner

Sauce crémeuse à l'asiatique

Mélanger 80 ml (⅓ de tasse) de vinaigrette japonaise (de type Wafu) avec 30 ml (2 c. à soupe) de crème sure et 10 ml (2 c. à thé) de zestes de lime.

Gingembre ❺
haché
15 ml (1 c. à soupe)

PRÉVOIR AUSSI :
➤ **Ail**
haché
5 ml (1 c. à thé)
➤ **1 œuf**
battu

FACULTATIF :
➤ **Lime**
10 ml (2 c. à thé)
de zestes

1 oignon ①
haché

Tomates italiennes ②
en dés
1 boîte de 796 ml

Pâte de tomates ③
30 ml (2 c. à soupe)

Basilic ④
émincé
60 ml (¼ de tasse)

Spaghettis ⑤
360 g (environ ¾ de lb)

Spaghetti sauce marinara

Préparation : **15 minutes** • Cuisson : **30 minutes** • Quantité : **4 portions**

Préparation

Dans une casserole, chauffer un peu d'huile d'olive à feu moyen. Saisir l'oignon et, si désiré, l'ail de 1 à 2 minutes.

Ajouter les tomates et leur jus, la pâte de tomates et le sucre. Saler, poivrer et remuer. Porter à ébullition, puis couvrir et laisser mijoter 25 minutes à feu doux.

Ajouter le basilic et laisser mijoter 5 minutes. Pour une sauce lisse et homogène, réduire en purée à l'aide du mélangeur-plongeur.

Pendant la cuisson de la sauce, cuire les pâtes *al dente* dans une casserole d'eau bouillante salée. Égoutter.

Répartir la sauce et les pâtes dans des contenants hermétiques séparés. Laisser tiédir, puis refroidir au réfrigérateur. Placer au congélateur.

La veille du repas, laisser décongeler la sauce et les pâtes au réfrigérateur.

Au moment du repas, réchauffer les pâtes au micro-ondes. Réchauffer la sauce dans une casserole ou au micro-ondes.

Répartir les pâtes dans les assiettes. Napper chaque portion de sauce marinara.

PAR PORTION	
Calories	490
Protéines	15 g
Matières grasses	9 g
Glucides	90 g
Fibres	6 g
Fer	5 mg
Calcium	113 mg
Sodium	490 mg

Secret de chef

Utiliser des tomates fraîches

Délicieuse sur des pâtes, la sauce marinara accompagne aussi à merveille une foule d'aliments, comme les escalopes de veau, les moules et les bâtonnets de fromage. Pour la cuisiner, on peut également utiliser des tomates italiennes fraîches, mais seulement en saison et lorsqu'elles sont bien mûres. Dans ce cas, on remplace la boîte de tomates par 450 g (1 lb) de tomates italiennes.

PRÉVOIR AUSSI :
➤ **Sucre**
15 ml (1 c. à soupe)

FACULTATIF :
➤ **Ail**
haché
15 ml (1 c. à soupe)

Porc haché ①
200 g (environ ½ lb)

Sirop d'érable ②
15 ml (1 c. à soupe)

Piment d'Espelette ③
ou paprika
5 ml (1 c. à thé)

2 oignons verts ④
hachés

Pâte à tarte ⑤
1 boule de 450 g
(environ 1 lb)

PRÉVOIR AUSSI :
➤ **Ail**
haché
5 ml (1 c. à thé)

➤ **Œuf**
1 jaune battu
avec un peu d'eau

Mini-pâtés à la viande au parfum d'érable

Préparation : **15 minutes** • Cuisson : **20 minutes** • Quantité : **12 mini-pâtés (4 portions)**

Préparation

Préchauffer le four à 180 °C (350 °F)

Dans un bol, mélanger le porc haché avec le sirop d'érable, le piment d'Espelette, les oignons verts et l'ail. Réserver au frais.

Diviser la boule de pâte en deux. Sur une surface légèrement farinée, abaisser la moitié de la pâte. À l'aide d'un emporte-pièce ou d'un verre, tailler douze cercles de 6,5 cm (2 ½ po) de diamètre chacun.

Au centre de chaque cercle de pâte, déposer 15 ml (1 c. à soupe) de farce. Abaisser le reste de la pâte en douze cercles de 7,5 cm (3 po) de diamètre. Badigeonner le pourtour des petits cercles de jaune d'œuf. Déposer les grands cercles sur la farce et sceller.

Pratiquer quatre incisions sur le dessus de chacun des pâtés.

Déposer les pâtés sur une plaque de cuisson tapissée de papier parchemin. Badigeonner le dessus des pâtés de jaune d'œuf battu.

Cuire sur la grille inférieure du four de 20 à 25 minutes, jusqu'à ce que la garniture soit chaude et que la pâte soit dorée.

Retirer du four et laisser tiédir, puis refroidir au réfrigérateur.

Dans un grand sac hermétique, déposer les mini-pâtés. Retirer l'air du sac et sceller. Placer au congélateur.

La veille du repas, laisser décongeler le sac au réfrigérateur.

Au moment du repas, réchauffer les pâtés au four ou au micro-ondes.

Secret de chef

Façonner des pâtés format mini pour épater la galerie !

Ces mini-versions réinventées de la tourtière ont la propriété de faire souffler un vent de renouveau dans la tradition. Servies en mignonnes portions et agrémentées de la douce saveur de l'érable, elles se révèlent des alliées rêvées lors de cocktails dînatoires. Qui plus est, leur jolie silhouette miniature inscrit le *glamour* au rendez-vous !

PAR PORTION	
3 mini-pâtés	
Calories	633
Protéines	16 g
Matières grasses	36 g
Glucides	58 g
Fibres	2 g
Fer	2 mg
Calcium	42 mg
Sodium	405 mg

Pâte à tarte ①
250 g (environ ½ lb)

Bacon ②
cuit et émietté
8 tranches

Gruyère ③
râpé
375 ml (1 ½ tasse)

4 œufs ④

Crème à cuisson 15 % ⑤
500 ml (2 tasses)

Quiche lorraine au bacon

Préparation : **15 minutes** • Cuisson : **40 minutes** • Quantité : **de 4 à 6 portions**

Préparation

Préchauffer le four à 180 °C (350 °F).

Sur une surface farinée, abaisser la pâte en un cercle de 25 cm (10 po). Déposer dans une assiette à tarte de 23 cm (9 po) de diamètre.

Déposer les morceaux de bacon au fond de l'abaisse, en alternant avec le fromage.

Dans un bol, fouetter les œufs avec la crème et, si désiré, la muscade. Saler et poivrer. Verser sur la pâte.

Cuire au four de 40 à 45 minutes, jusqu'à ce que la préparation soit prise au centre.

Retirer du four et laisser tiédir, puis refroidir au réfrigérateur.

Couvrir la quiche d'une pellicule plastique, puis d'une feuille de papier d'aluminium. Placer au congélateur.

La veille du repas, laisser décongeler la quiche au réfrigérateur.

Au moment du repas, retirer la feuille de papier d'aluminium et la pellicule plastique de l'assiette à tarte. Réchauffer la quiche au four ou au micro-ondes.

PAR PORTION	
Calories	518
Protéines	18 g
Matières grasses	39 g
Glucides	24 g
Fibres	1 g
Fer	1 mg
Calcium	387 mg
Sodium	417 mg

Idée pour accompagner

Salade de roquette et pacanes

Dans un saladier, fouetter 60 ml (¼ de tasse) d'huile d'olive avec 15 ml (1 c. à soupe) de jus de citron et 15 ml (1 c. à soupe) de moutarde de Dijon. Saler et poivrer. Ajouter 750 ml (3 tasses) de roquette et 125 ml (½ tasse) de pacanes en demies. Remuer. Parsemer de 125 ml (½ tasse) de copeaux de parmesan.

FACULTATIF :
➤ **Muscade**
1,25 ml (¼ de c. à thé)

Pâté chinois

Préparation : **15 minutes** • Cuisson : **30 minutes** • Quantité : **4 portions**

Préparation

Préchauffer le four à 180 °C (350 °F).

Dans une casserole, déposer les pommes de terre. Couvrir d'eau froide et saler. Porter à ébullition, puis laisser mijoter de 18 à 20 minutes, jusqu'à tendreté. Égoutter. Poivrer et réduire en purée avec la moitié du fromage.

Dans une autre casserole, chauffer un peu d'huile de canola à feu moyen. Cuire l'oignon de 2 à 3 minutes.

Ajouter la viande hachée et, si désiré, les flocons de piment. Saler, poivrer et remuer. Cuire de 8 à 10 minutes en égrainant la viande à l'aide d'une cuillère en bois, jusqu'à ce qu'elle ait perdu sa teinte rosée.

Dans un plat de cuisson, répartir uniformément la viande. Couvrir de maïs en grains, de maïs en crème, puis de purée de pommes de terre et du reste de fromage.

Cuire au four de 20 à 25 minutes.

Retirer du four et laisser tiédir, puis refroidir au réfrigérateur.

Couvrir le plat d'une pellicule plastique, puis d'une feuille de papier d'aluminium. Placer au congélateur.

La veille du repas, laisser décongeler le plat au réfrigérateur.

Au moment du repas, retirer la feuille de papier d'aluminium et la pellicule plastique du plat de cuisson.

Réchauffer le pâté chinois au four ou au micro-ondes.

PAR PORTION	
Calories	776
Protéines	43 g
Matières grasses	17 g
Glucides	123 g
Fibres	12 g
Fer	6 mg
Calcium	257 mg
Sodium	873 mg

Secret de chef

Comment réinventer le pâté chinois

Steak, blé d'Inde, patates… et si le pâté chinois pouvait sortir de son carcan ? C'est pourtant si facile ! Remplacer le bœuf par toute autre viande hachée – ou effilochée ! – ou même par des lentilles ; ajouter des légumes ; changer la purée pour du riz ou des pommes de terre en minces rondelles… voilà les meilleures façons de réinventer ce plat traditionnel ! On peut même aller jusqu'à assaisonner la viande de salsa et d'épices cajun pour un goût plus relevé.

1 — **6 à 8 pommes de terre**
pelées et coupées en cubes

2 — **Mozzarella**
râpée
250 ml (1 tasse)

3 — **1 oignon**
haché

4 — **Veau haché**
ou bœuf haché maigre
450 g (1 lb)

5 — **Maïs**
2 boîtes en grains de 341 ml chacune +
1 boîte en crème de 284 ml

FACULTATIF :
➤ **Flocons de piment**
au goût

4 pommes de terre ①
coupées en cubes

Lait 2 % ②
125 ml (½ tasse)

Saumon ③
400 g (environ 1 lb) de
filets, la peau enlevée

Crevettes nordiques ④
150 g (250 ml)

Pâte à tarte ⑤
750 g (1 ⅔ lb)

PRÉVOIR AUSSI :
➤ **Beurre**
30 ml (2 c. à soupe)

➤ **Œuf**
1 jaune battu
avec un peu d'eau

FACULTATIF :
➤ **3 oignons verts**
émincés

Petits pâtés au saumon et crevettes nordiques

Préparation : **15 minutes** • Cuisson : **40 minutes** • Quantité : **6 pâtés de 13 cm (5 po) chacun**

Préparation

Préchauffer le four à 205 °C (400 °F).

Dans une casserole, déposer les pommes de terre et couvrir d'eau froide salée. Porter à ébullition, puis cuire de 15 à 20 minutes, jusqu'à tendreté. Égoutter et réduire en purée avec le lait, le beurre et, si désiré, les oignons verts. Saler et poivrer.

Déposer le saumon sur une feuille de papier d'aluminium. Saler, poivrer et arroser d'un filet d'huile d'olive. Replier le papier de manière à former une papillote hermétique. Cuire au four de 10 à 12 minutes.

Couper le saumon en morceaux et incorporer à la purée de pommes de terre avec les crevettes. Réserver.

Diviser la pâte en deux. Sur une surface farinée, abaisser la première boule de pâte et y tailler six cercles de 15,5 cm (6 ½ po) de diamètre. Presser les abaisses dans six moules à tartelette en aluminium de 13 cm (5 po) de diamètre. Répartir la garniture dans les abaisses.

Abaisser le reste de la pâte en six cercles de 13 cm (5 po) de diamètre. Humecter le pourtour des premières abaisses, puis couvrir avec les petits cercles de pâte. Sceller. Inciser la surface des pâtés à quelques endroits et badigeonner de jaune d'œuf.

Cuire au four de 25 à 30 minutes, jusqu'à ce que la pâte commence à dorer. Retirer du four et laisser tiédir, puis refroidir au réfrigérateur.

Couvrir chaque pâté de papier d'aluminium, puis déposer dans des sacs hermétiques. Retirer l'air des sacs et sceller. Placer au congélateur.

La veille du repas, laisser décongeler au réfrigérateur.

Au moment du repas, retirer le papier d'aluminium des moules. Réchauffer les pâtés au four ou au micro-ondes.

PAR PORTION	
Calories	891
Protéines	29 g
Matières grasses	46 g
Glucides	85 g
Fibres	5 g
Fer	3 mg
Calcium	88 mg
Sodium	663 mg

Option santé

100 % nutritive, la crevette nordique !

D'un point de vue nutritionnel, la crevette nordique (ou « crevette de Matane ») impressionne ! Une portion de 75 g comble 60 % de nos besoins quotidiens en acides gras essentiels en plus d'être une excellente source d'acides gras oméga-3. De plus, la crevette nordique renferme une tonne de protéines, de la vitamine E et de la Coenzyme Q10 (un composé aux vertus antioxydantes). Autre atout : à l'opposé des crevettes surgelées, elle ne contient pas de sulfites. Qu'attendez-vous pour l'ajouter à vos recettes océanes préférées ?

Tilapia ①
4 filets de 150 g
(⅓ de lb) chacun

2 œufs ②

Chapelure nature ③
250 ml (1 tasse)

Pesto aux tomates séchées ④
15 ml (1 c. à soupe)

Herbes de Provence ⑤
10 ml (2 c. à thé)

Tilapia à la milanaise

Préparation : **15 minutes** • Cuisson : **4 minutes** • Quantité : **4 portions**

Préparation

Couper chacun des filets de poisson en trois sur la largeur.

Préparer trois assiettes creuses. Dans la première, verser la farine. Dans la deuxième, fouetter les œufs avec le lait, du sel et du poivre. Dans la troisième, mélanger la chapelure avec le pesto et les herbes de Provence.

Fariner les bâtonnets de poisson, puis secouer pour retirer l'excédent de farine. Tremper les bâtonnets dans le mélange d'œufs, puis les enrober de chapelure.

Dans une poêle, chauffer un peu d'huile d'olive à feu moyen. Faire dorer les bâtonnets de tilapia de 2 à 3 minutes de chaque côté. Égoutter sur du papier absorbant.

Laisser tiédir, puis refroidir au réfrigérateur.

Déposer les bâtonnets de tilapia dans un grand sac hermétique. Retirer l'air du sac et sceller. Placer au congélateur.

La veille du repas, laisser décongeler le sac au réfrigérateur.

Au moment du repas, réchauffer les bâtonnets de tilapia au four ou au micro-ondes.

Si désiré, servir avec les quartiers de citron.

PAR PORTION	
Calories	428
Protéines	39 g
Matières grasses	16 g
Glucides	31 g
Fibres	2 g
Fer	3 mg
Calcium	99 mg
Sodium	389 mg

Idée pour accompagner

Sauce tartare aux câpres

Mélanger 125 ml (½ tasse) de mayonnaise avec 15 ml (1 c. à soupe) de câpres hachées et 15 ml (1 c. à soupe) de ciboulette hachée.

PRÉVOIR AUSSI :
➤ **Farine**
80 ml (⅓ de tasse)
➤ **Lait 2 %**
30 ml (2 c. à soupe)

FACULTATIF :
➤ **1 citron**
coupé en quatre

Gratin de poulet crémeux au riz brun

Préparation : **15 minutes** • Cuisson : **25 minutes** • Quantité : **4 portions**

Mélange de légumes frais pour soupe ①
500 ml (2 tasses)

Crème sure 14 % ②
250 ml (1 tasse)

Poulet ③
cuit et effiloché
500 ml (2 tasses)

Riz brun ④
cuit
500 ml (2 tasses)

Cheddar ⑤
râpé
500 ml (2 tasses)

PRÉVOIR AUSSI :
➤ **Bouillon de poulet**
375 ml (1 ½ tasse)
➤ **Assaisonnements italiens**
15 ml (1 c. à soupe)

FACULTATIF :
➤ **Basilic**
émincé
60 ml (¼ de tasse)

Préparation

Dans un bol, mélanger les légumes pour soupe avec la crème sure, le poulet, le riz, le bouillon, les assaisonnements italiens et, si désiré, le basilic. Saler et poivrer.

Beurrer un plat de cuisson carré de 20 cm (8 po), puis y déposer la préparation. Égaliser la surface. Parsemer de cheddar.

Couvrir le plat d'une pellicule plastique, puis de papier d'aluminium. Placer au congélateur.

La veille du repas, laisser décongeler le gratin au réfrigérateur.

Au moment de la cuisson, préchauffer le four à 205 °C (400 °F).

Retirer la feuille de papier d'aluminium et la pellicule plastique du plat. Cuire au four de 25 à 30 minutes.

PAR PORTION	
Calories	601
Protéines	47 g
Matières grasses	31 g
Glucides	33 g
Fibres	3 g
Fer	2 mg
Calcium	568 mg
Sodium	890 mg

Astuce 5•15

Accélérer la cuisson du riz brun

Le riz brun est un champion côté nutriments. Or, on le boude souvent à cause de son temps de cuisson jugé trop long (environ 45 minutes). Afin de ménager votre patience, mettez d'abord le riz à cuire et profitez-en pour apprêter le reste des aliments. Autre truc : doublez les quantités et congelez-en en prévision de repas futurs. Vous voulez une option encore plus rapide ? Optez pour le riz brun étuvé ; étant précuit, il est prêt en 15 à 20 minutes.

Saumon ①
400 g (environ 1 lb) de filets, la peau enlevée et coupés en petits dés

Épinards hachés surgelés ②
décongelés et égouttés
1 sac de 500 g

Ricotta ③
½ contenant de 475 g

6 lasagnes fraîches ④

Sauce tomate ⑤
625 ml (2 ½ tasses)

PRÉVOIR AUSSI:
➤ 1 **œuf**
battu

FACULTATIF:
➤ **Mozzarella**
râpée
375 ml (1 ½ tasse)

Cannellonis au saumon

Préparation : **15 minutes** • Cuisson : **20 minutes** • Quantité : **4 portions**

Préparation

Dans un bol, mélanger le saumon avec les épinards, la ricotta et l'œuf. Saler et poivrer.

Couper les lasagnes en trois sur la longueur. Répartir la farce à la base des lasagnes, puis rouler.

Dans un plat de cuisson, verser la moitié de la sauce. Déposer les cannellonis dans le plat, joint dessous. Garnir du reste de la sauce et, si désiré, de mozzarella.

Couvrir le plat d'une pellicule plastique, puis de papier d'aluminium. Placer au congélateur.

La veille du repas, laisser décongeler les cannellonis au réfrigérateur.

Au moment de la cuisson, préchauffer le four à 205 °C (400 °F).

Retirer le papier d'aluminium et la pellicule plastique du plat. Remettre la feuille de papier d'aluminium. Cuire au four de 15 à 20 minutes.

Retirer la feuille de papier d'aluminium et prolonger la cuisson de 5 minutes.

PAR PORTION	
Calories	808
Protéines	53 g
Matières grasses	36 g
Glucides	69 g
Fibres	10 g
Fer	6 mg
Calcium	625 mg
Sodium	1 301 mg

Pour varier

Remplacez le saumon

Vous souhaitez réinterpréter cette recette à base de saumon ? Remplacez-le par de la truite ! La texture délicate et tendre de celle-ci en fera des mets inédits. Les crevettes sont également de parfaits substituts pour un repas tout aussi inspiré par la mer !

Pâte à pizza ❶
1 boule de 450 g (1 lb)

Sauce à pizza ❷
250 ml (1 tasse)

Mozzarella ❸
râpée
500 ml (2 tasses)

4 tomates italiennes ❹
émincées

Basilic ❺
Quelques feuilles

Pizza margarita

Préparation : **15 minutes** • Cuisson : **10 minutes** • Quantité : **4 pizzas de 20 cm (8 po)**

Préparation

Préchauffer le four à 205 °C (400 °F).

Diviser la pâte en quatre boules. Étirer chaque boule en un cercle de 20 cm (8 po) de diamètre, en prenant soin de conserver une bonne épaisseur de pâte.

Déposer les pâtes sur des plaques à pizza ou des plaques de cuisson. Badigeonner les pâtes de sauce à pizza, puis garnir de mozzarella et de tomates.

Cuire au four de 10 à 12 minutes, jusqu'à ce que la pâte soit dorée. Retirer du four et laisser tiédir, puis refroidir au réfrigérateur.

Emballer chacune des pizzas dans une pellicule plastique, puis dans une feuille de papier d'aluminium. Placer au congélateur.

La veille du repas, laisser décongeler les pizzas au réfrigérateur.

Au moment du repas, retirer l'emballage et réchauffer les pizzas au four ou au micro-ondes.

Au moment de servir, parsemer les pizzas de feuilles de basilic.

PAR PORTION	
Calories	560
Protéines	24 g
Matières grasses	24 g
Glucides	60 g
Fibres	4 g
Fer	5 mg
Calcium	385 mg
Sodium	776 mg

Astuce 5•15

Utiliser différentes sortes de pain comme base

Pas de pâte à pizza ? Pourquoi ne pas la remplacer par des pains naan, des tortillas, des muffins anglais ou encore des pitas grecs ? Ces solutions vous permettront de faire changement et peut-être même de passer vos restes pour concocter de jolies pizzas !

Mini-poivrons farcis aux saucisses

Préparation : **15 minutes** • Cuisson : **25 minutes** • Quantité : **de 4 à 6 portions**

Saucisses italiennes 1
450 g (1 lb)

20 mini-poivrons 2
de couleurs variées

Sauce marinara 3
625 ml (2 ½ tasses)

**Assaisonnements
pour sauce
à spaghetti** 4
15 ml (1 c. à soupe)

Mozzarella fumée 5
râpée
375 ml (1 ½ tasse)

Préparation

Retirer la membrane des saucisses.

Couper les mini-poivrons en deux.

Farcir les mini-poivrons avec la chair des saucisses.

Dans un bol, mélanger la sauce marinara avec les assaisonnements pour sauce à spaghetti.

Huiler un plat de cuisson carré de 20 cm (8 po), puis y étaler un peu de sauce marinara. Déposer les demi-poivrons farcis dans le plat. Napper du reste de la sauce. Parsemer de mozzarella.

Couvrir le plat d'une pellicule plastique, puis de papier d'aluminium. Placer au congélateur.

La veille du repas, laisser décongeler les mini-poivrons au réfrigérateur.

Au moment de la cuisson, préchauffer le four à 205 °C (400 °F).

Retirer le papier d'aluminium et la pellicule plastique du plat. Cuire au four de 25 à 30 minutes.

PAR PORTION	
Calories	437
Protéines	18 g
Matières grasses	29 g
Glucides	27 g
Fibres	7 g
Fer	2 mg
Calcium	142 mg
Sodium	1 140 mg

Pour varier

Cuisiner les mini-poivrons

Les mini-poivrons n'ont pas leur pareil pour ensoleiller les plats ! Ils injectent une belle dose de couleur dans l'assiette tout en y ajoutant une saveur aussi douce que leurs homologues plus gros. Excellente source de vitamine C, ils sont parfaits pour les plats ensoleillés. On les retrouve dans les supermarchés, dans un emballage de sept à dix unités de couleurs variées.

Sauce Alfredo
légère
625 ml (2 ½ tasses)

①

Parmesan
râpé
375 ml (1 ½ tasse)

②

Échalotes sèches
(françaises)
hachées
60 ml (¼ de tasse)

③

Poulet
4 poitrines sans peau
coupées en petits cubes

④

1 brocoli
coupé en petits
bouquets

⑤

PRÉVOIR AUSSI :
➤ **Fines herbes
fraîches au choix**
(persil, basilic…)
hachées
125 ml (½ tasse)

➤ **Ail**
haché
15 ml (1 c. à soupe)

FACULTATIF :
➤ Chapelure panko
125 ml (½ tasse)

Poulet Alfredo au brocoli

Préparation : **15 minutes** • Cuisson : **25 minutes** • Quantité : **de 4 à 6 portions**

Préparation

Dans un bol, mélanger la sauce Alfredo avec la moitié du parmesan, les échalotes, les fines herbes et l'ail. Poivrer.

Ajouter le poulet et le brocoli. Remuer.

Transvider la préparation dans un plat de cuisson de 33 cm x 23 cm (13 po x 9 po).

Parsemer du reste du parmesan et, si désiré, de chapelure.

Couvrir le plat d'une pellicule plastique, puis de papier d'aluminium. Placer au congélateur.

La veille du repas, laisser décongeler le plat au réfrigérateur.

Au moment de la cuisson, préchauffer le four à 205 °C (400 °F).

Retirer le papier d'aluminium et la pellicule plastique du plat. Cuire au four de 25 à 30 minutes, jusqu'à ce que l'intérieur de la chair du poulet ait perdu sa teinte rosée.

PAR PORTION	
Calories	356
Protéines	39 g
Matières grasses	15 g
Glucides	14 g
Fibres	1 g
Fer	1 mg
Calcium	427 mg
Sodium	1 062 mg

Option santé

Cette casserole est savoureuse et saine !

À lui seul, ce plat tout-en-un réunit des aliments de trois des quatre groupes alimentaires: une variété de légumes (brocoli), un produit laitier (fromage) et une source de protéines (poulet). En outre, ce gratin est bourré de nutriments! On y retrouve notamment des vitamines C et K ainsi que de la lutéine et de la zéaxanthine (deux caroténoïdes aux vertus antioxydantes) grâce au brocoli. Faites le plein de nutriments grâce à ce plat facile à faire et vraiment savoureux!

Mélange de légumes frais pour sauce à spaghetti
250 ml (1 tasse)

Bœuf haché
maigre
450 g (1 lb)

Épinards hachés surgelés
décongelés et
bien égouttés
1 sac de 500 g

Ricotta
légère 5 %
250 ml (1 tasse)

Monterey Jack
râpé
250 ml (1 tasse)

Gratin de bœuf aux épinards et ricotta

Préparation : **15 minutes** • Cuisson : **20 minutes** • Quantité : **4 portions**

Préparation

Dans une casserole, chauffer un peu d'huile d'olive à feu moyen. Cuire les légumes pour sauce à spaghetti et l'ail de 2 à 3 minutes.

Ajouter le bœuf haché. Saler, poivrer et remuer. Cuire de 4 à 5 minutes en égrainant la viande à l'aide d'une cuillère en bois, jusqu'à ce qu'elle ait perdu sa teinte rosée. Si désiré, incorporer le piment d'Espelette.

Répartir la préparation dans quatre ramequins ou dans un plat de cuisson. Garnir d'épinards, puis de ricotta. Couvrir de Monterey Jack.

Couvrir les ramequins d'une pellicule plastique, puis de papier d'aluminium. Placer au congélateur.

La veille du repas, laisser décongeler le gratin au réfrigérateur.

Au moment de la cuisson, préchauffer le four à 205 °C (400 °F).

Retirer le papier d'aluminium et la pellicule plastique des ramequins. Cuire au four de 25 à 30 minutes.

PAR PORTION	
Calories	555
Protéines	42 g
Matières grasses	38 g
Glucides	14 g
Fibres	6 g
Fer	5 mg
Calcium	625 mg
Sodium	448 mg

Option santé

La ricotta

Avec sa texture onctueuse, la ricotta prend volontiers sa place dans nos gratins. Elle est le parfait substitut au fromage à la crème, à la crème sure et au mascarpone dans nos recettes de plats fromagés. Et comme son goût est discret, la ricotta s'allie à merveille à tous les ingrédients tout en restant 100 % santé !

PRÉVOIR AUSSI :
➤ **Ail**
haché
15 ml (1 c. à soupe)

FACULTATIF :
➤ **Piment d'Espelette**
15 ml (1 c. à soupe)

Filets de sole au parfum d'Italie

Préparation : **10 minutes** • Cuisson : **25 minutes** • Quantité : **4 portions**

Préparation

Déposer les filets de sole dans un plat de cuisson. Déposer les feuilles de basilic sur les filets. Rouler les filets.

Dans un bol, mélanger la sauce marinara avec la vinaigrette et, si désiré, les olives. Napper les filets avec cette préparation. Couvrir de fromage.

Couvrir le plat d'une pellicule plastique, puis de papier d'aluminium. Placer au congélateur.

La veille du repas, laisser décongeler le plat au réfrigérateur.

Au moment de la cuisson, préchauffer le four à 205 °C (400 °F).

Retirer le papier d'aluminium et la pellicule plastique du plat. Cuire au four de 25 à 30 minutes.

PAR PORTION	
Calories	486
Protéines	43 g
Matières grasses	30 g
Glucides	11 g
Fibres	2 g
Fer	2 mg
Calcium	435 mg
Sodium	1 200 mg

Sole
12 filets

1

Basilic
12 feuilles

2

Sauce marinara
400 ml
(environ 1 ⅔ tasse)

3

Vinaigrette aux tomates séchées
60 ml (¼ de tasse)

4

Mélange de fromages râpés
375 ml (1 ½ tasse)

5

Version maison

Sauce marinara

Dans une casserole, chauffer 30 ml (2 c. à soupe) d'huile d'olive à feu moyen. Saisir 1 oignon haché avec 15 ml (1 c. à soupe) d'ail haché de 1 à 2 minutes. Ajouter le contenu de 1 boîte de tomates italiennes de 796 ml avec leur jus, 30 ml (2 c. à soupe) de pâte de tomates et 15 ml (1 c. à soupe) de sucre. Saler et poivrer. Porter à ébullition, puis couvrir et laisser mijoter 25 minutes à feu doux. Ajouter 60 ml (¼ de tasse) de basilic émincé. Remuer et laisser mijoter 5 minutes. Pour une sauce lisse et homogène, réduire en purée à l'aide du mélangeur-plongeur ou du mélangeur électrique.

FACULTATIF :
➤ 16 **olives vertes**

Pâte à pizza ①
500 g (environ 1 lb)

Sauce barbecue à l'érable ②
375 ml (1 ½ tasse)

Poulet ③
cuit et émincé
500 ml (2 tasses)

1 poivron jaune ④
émincé

Mozzarella à pizza ⑤
râpée
500 ml (2 tasses)

Pizza au poulet barbecue

Préparation : **15 minutes** • Cuisson : **20 minutes** • Quantité : **de 4 à 6 portions**

Préparation

Préchauffer le four à 205 °C (400 °F).

Sur une surface légèrement farinée, étirer la pâte en un rectangle de 33 cm x 23 cm (13 po x 9 po).

Déposer la pâte à pizza sur une plaque de cuisson. Badigeonner la pâte avec la moitié de la sauce barbecue.

Garnir de poulet, de poivron, d'oignon et de mozzarella. Napper la pizza du reste de la sauce barbecue. Si désiré, garnir de fromage bleu.

Cuire au four de 20 à 25 minutes. Retirer du four et laisser tiédir, puis refroidir au réfrigérateur.

Emballer la pizza dans une pellicule plastique, puis dans une feuille de papier d'aluminium. Placer au congélateur.

La veille du repas, laisser décongeler la pizza au réfrigérateur.

Au moment du repas, retirer l'emballage et réchauffer la pizza au four ou au micro-ondes.

Option santé

Les essentiels d'une pizza saine

Qui a dit que la pizza devait rester coincée dans son carcan pepperoni-fromage ? Ce mets aux mille possibilités se prête parfaitement à un exercice de créativité culinaire. Pour une pizza savoureuse et santé, privilégiez les protéines maigres comme le bœuf haché maigre, le poulet ou les crevettes. Pensez aussi à garnir votre pizza de beaucoup de légumes colorés afin de fournir à votre organisme un maximum de fibres alimentaires.

PAR PORTION	
Calories	630
Protéines	36 g
Matières grasses	18 g
Glucides	43 g
Fibres	2 g
Fer	3 mg
Calcium	347 mg
Sodium	1 326 mg

PRÉVOIR AUSSI :
➤ **1 oignon**
émincé

FACULTATIF :
➤ **Fromage bleu**
émietté
125 g (environ ¼ de lb)

1 courge Butternut ①

Jambon fumé à l'érable ②
250 g (environ ½ lb)
de tranches

Cheddar ③
râpé
375 ml (1 ½ tasse)

Crème à cuisson 15 % ④
250 ml (1 tasse)

Persil ⑤
haché
60 ml (¼ de tasse)

PRÉVOIR AUSSI :
➤ 1 œuf
➤ Farine
30 ml (2 c. à soupe)

FACULTATIF :
➤ Muscade
2,5 ml (½ c. à thé)

Gratin à la courge et au jambon

Préparation : **15 minutes** • Cuisson : **36 minutes** • Quantité : **de 4 à 6 portions**

Préparation

Peler la courge et en retirer les graines. Émincer finement la chair.

Beurrer un plat de cuisson carré de 20 cm (8 po). Répartir la moitié des tranches de courge dans le fond du plat. Couvrir avec les tranches de jambon et la moitié du fromage.

Dans un bol, fouetter l'œuf avec la farine, la crème, le persil et, si désiré, la muscade.

Verser la moitié du mélange dans le plat. Couvrir avec le reste de la courge, puis verser le reste de la préparation à la crème. Parsemer du reste du fromage.

Couvrir le plat d'une pellicule plastique, puis de papier d'aluminium. Placer au congélateur.

La veille du repas, laisser décongeler le plat au réfrigérateur.

Au moment de la cuisson, préchauffer le four à 190 °C (375 °F).

Retirer le papier d'aluminium et la pellicule plastique du plat. Remettre le papier d'aluminium sur le plat. Cuire au four de 18 à 20 minutes.

Retirer le papier d'aluminium et poursuivre la cuisson de 18 à 20 minutes.

PAR PORTION	
Calories	303
Protéines	31 g
Matières grasses	20 g
Glucides	18 g
Fibres	3 g
Fer	2 mg
Calcium	329 mg
Sodium	525 mg

Secret de chef

Les meilleurs fromages pour gratiner

Les fromages à privilégier lors de la concoction d'un gratin sont ceux à pâte ferme ou semi-ferme. Les classiques : la mozzarella, le cheddar, le gruyère, l'emmenthal et les fromages à raclette. Vous pouvez bien évidemment les interchanger pour ajouter un peu de nouveau à vos plats ! Et pour la touche finale, n'oubliez pas de laisser votre gratin reposer quelques minutes avant de le servir, le temps que le fromage cesse de bouillonner et se fige.

5 à 6 pommes de terre à chair jaune ①

Fromage crémeux ail et fines herbes ②
de type Boursin
2 contenants de 150 g
chacun

Crème à cuisson 15 % ③
500 ml (2 tasses)

Vin blanc ④
125 ml (½ tasse)

Saumon fumé ⑤
coupé en morceaux
2 paquets de
140 g chacun

Gratin de pommes de terre au saumon et fromage crémeux

Préparation : **15 minutes** • Cuisson : **20 minutes** • Quantité : **4 portions**

Préparation

Éplucher les pommes de terre. À l'aide d'une mandoline, couper les pommes de terre en tranches fines.

Dans une casserole, déposer les tranches de pommes de terre. Couvrir d'eau froide et saler. Porter à ébullition, puis cuire 2 minutes. Égoutter.

Dans la même casserole, déposer le fromage ail et fines herbes, la crème et le vin blanc. Porter à ébullition en remuant.

Hors du feu, ajouter les pommes de terre et le saumon fumé. Saler, poivrer et remuer.

Beurrer un plat de cuisson carré de 20 cm (8 po), puis y transférer la préparation. Égaliser la surface.

Laisser tiédir, puis refroidir complètement au réfrigérateur.

Couvrir le plat d'une pellicule plastique, puis de papier d'aluminium. Placer au congélateur.

La veille du repas, laisser décongeler le plat au réfrigérateur.

Au moment de la cuisson, préchauffer le four à 205 °C (400 °F).

Retirer le papier d'aluminium et la pellicule plastique du plat. Cuire au four de 20 à 25 minutes.

PAR PORTION	
Calories	940
Protéines	36 g
Matières grasses	58 g
Glucides	66 g
Fibres	4 g
Fer	3 mg
Calcium	225 mg
Sodium	803 mg

Secret de chef

Bien choisir ses plats de cuisson

Pour bien réussir un gratin, il nous faut le bon plat de cuisson. Afin qu'il résiste à la chaleur du four, choisissez-le en céramique, en verre (de type Pyrex) ou en fonte émaillée. Les modèles rectangulaires (13 po x 9 po) conviennent parfaitement pour les gratins. Privilégiez également pour un plat à larges rebords (de 3 à 4 po de profondeur) qui saura mieux contenir les sauces crémeuses !

Chapelure panko ①
250 ml (1 tasse)

Parmesan ②
allégé
râpé
60 ml (¼ de tasse)

Assaisonnements italiens ③
30 ml (2 c. à soupe)

Citron ④
15 ml (1 c. à soupe)
de zestes

Poulet ⑤
4 poitrines sans peau

FACULTATIF :
➤ **Mozzarella**
râpée
250 ml (1 tasse)
➤ **Basilic**
4 feuilles

PRÉVOIR AUSSI :
➤ **Farine**
60 ml (¼ de tasse)
➤ **2 œufs**

Poulet au citron et parmesan

Préparation : **15 minutes** • Cuisson : **12 minutes** • Quantité : **4 portions**

Préparation

Préchauffer le four à 205 °C (400 °F).

Dans un bol, mélanger la chapelure avec le parmesan, les assaisonnements italiens et les zestes.

Préparer trois assiettes creuses. Dans la première, verser la farine. Dans la deuxième, battre les œufs. Dans la troisième, verser le mélange de chapelure.

Fariner les poitrines de poulet, les tremper dans les œufs battus, puis les enrober de chapelure.

Dans une grande poêle, chauffer un peu d'huile de canola à feu moyen. Faire dorer les poitrines de poulet de 2 à 3 minutes de chaque côté.

Déposer les poitrines sur une plaque de cuisson tapissée de papier parchemin. Si désiré, garnir chaque poitrine de mozzarella.

Cuire au four de 8 à 10 minutes, jusqu'à ce que l'intérieur de la chair du poulet ait perdu sa teinte rosée.

Retirer du four, laisser tiédir, puis refroidir au réfrigérateur.

Déposer les poitrines de poulet dans un contenant hermétique. Placer au congélateur.

La veille du repas, laisser décongeler les poitrines de poulet au réfrigérateur.

Au moment du repas, réchauffer les poitrines de poulet au four ou au micro-ondes.

PAR PORTION	
Calories	447
Protéines	54 g
Matières grasses	15 g
Glucides	20 g
Fibres	1 g
Fer	2 mg
Calcium	350 mg
Sodium	557 mg

Idée pour accompagner

Salade de haricots verts et tomates cerises

Dans un bol, mélanger 45 ml (3 c. à soupe) de vinaigre balsamique blanc avec 45 ml (3 c. à soupe) d'huile d'olive et 10 ml (2 c. à thé) de miel. Ajouter 300 g (⅔ de lb) de haricots verts cuits et 500 ml (2 tasses) de tomates cerises de couleurs variées coupées en deux. Saler, poivrer et remuer.

Gratin de courgettes

Préparation : **15 minutes** • Cuisson : **25 minutes** • Quantité : **4 portions**

Préparation

Couper les courgettes en fines rondelles.

Dans une poêle, faire fondre un peu de beurre à feu moyen. Cuire les champignons et l'oignon de 2 à 3 minutes. Retirer du feu et laisser tiédir.

Dans un bol, fouetter les œufs avec la moitié du fromage râpé, la crème, la préparation aux champignons et, si désiré, le persil. Ajouter les trois quarts des rondelles de courgettes. Saler, poivrer et remuer.

Beurrer un plat de cuisson, puis y transférer la préparation.

Disposer les rondelles de courgettes restantes sur la préparation. Garnir de tomates cerises, puis couvrir avec le reste du fromage.

Couvrir le plat d'une pellicule plastique et de papier d'aluminium. Placer au congélateur.

La veille du repas, laisser décongeler le gratin au réfrigérateur.

Au moment de la cuisson, préchauffer le four à 205 °C (400 °F).

Retirer le papier d'aluminium et la pellicule plastique du plat. Cuire au four de 25 à 30 minutes.

PAR PORTION	
Calories	431
Protéines	22 g
Matières grasses	33 g
Glucides	18 g
Fibres	4 g
Fer	2 mg
Calcium	468 mg
Sodium	348 mg

Astuce 5•15

Bien choisir les courgettes

La courgette, aussi connue sous son nom italien « zucchini », est proposée à longueur d'année au rayon des légumes des supermarchés. Choisissez des courgettes fermes et intactes, à la peau lisse et d'une couleur brillante. Très petites, elles manquent de goût ; très grosses, elles sont plus fibreuses et amères. Surtout, évitez de choisir celles présentant des meurtrissures ou des taches !

Courgettes
2 vertes et 2 jaunes ①

Champignons
émincés
1 contenant de 227 g ②

Mélange de quatre fromages râpés
500 ml (2 tasses) ③

Crème à cuisson 15 %
250 ml (1 tasse) ④

18 tomates cerises
coupées en deux ⑤

PRÉVOIR AUSSI :
➤ 1 **oignon**
haché
➤ 2 **œufs**

FACULTATIF :
➤ **Persil**
haché
60 ml (¼ de tasse)

2 petites courgettes ①

Sauce marinara
625 ml (2 ½ tasses) ②

Basilic
émincé
60 ml (¼ de tasse) ③

Mozzarella
râpée
500 ml (2 tasses) ④

Raviolis au bœuf ⑤
surgelés
350 g (environ ¾ de lb)

PRÉVOIR AUSSI :
➤ **Origan**
30 ml (2 c. à soupe)
de feuilles

Raviolis au bœuf sur lit de courgettes

Préparation : **15 minutes** • Cuisson : **40 minutes** • Quantité : **4 portions**

Préparation

À l'aide d'une mandoline ou d'un économe, couper les courgettes en fines tranches sur la longueur.

Dans un plat de cuisson carré de 20 cm (8 po), verser un peu de sauce marinara. Tapisser le fond du plat de courgettes.

Napper du tiers de la sauce marinara restante. Garnir d'un peu de basilic et d'origan. Couvrir du quart de la mozzarella. Déposer le tiers des raviolis côte à côte dans le plat. Répéter cette étape deux fois, puis couvrir de la mozzarella restante.

Couvrir le plat d'une pellicule plastique et de papier d'aluminium. Placer au congélateur.

La veille du repas, laisser décongeler le plat au réfrigérateur.

Au moment de la cuisson, préchauffer le four à 205 °C (400 °F).

Retirer le papier d'aluminium et la pellicule plastique du plat. Cuire au four de 40 à 45 minutes.

PAR PORTION	
Calories	542
Protéines	27 g
Matières grasses	29 g
Glucides	48 g
Fibres	8 g
Fer	2 mg
Calcium	506 mg
Sodium	955 mg

Pour varier

On utilise d'autres sortes de raviolis !

Vous souhaitez diversifier les saveurs de ce plat ? Plusieurs variétés de raviolis farcis sont offertes à l'épicerie : épinards et ricotta, champignons, fromage, fines herbes, etc. À vous de voir lesquelles vous tentent !

Crème à cuisson 15 % ①
500 ml (2 tasses)

Brie ②
la croûte enlevée
150 g (⅓ de lb)

Saumon ③
la peau enlevée
et coupé en dés
755 g (1 ⅔ lb)

6 lasagnes fraîches ④

Mozzarella ⑤
râpée
375 ml (1 ½ tasse)

FACULTATIF :
➤ **Citron**
15 ml (1 c. à soupe) de zestes
➤ **Aneth**
haché
45 ml (3 c. à soupe)

Lasagne au saumon

Préparation : **15 minutes** • Cuisson : **35 minutes** • Quantité : **de 4 à 6 portions**

Préparation

Préchauffer le four à 190°C (375°F).

Dans une casserole, chauffer la crème et le brie à feu moyen en remuant jusqu'aux premiers frémissements.

Incorporer le saumon. Retirer du feu.

Si désiré, incorporer les zestes et l'aneth. Saler et poivrer.

Dans un plat de cuisson carré de 20 cm (8 po), verser un peu de sauce au saumon, puis déposer deux lasagnes. Ajouter la moitié de la sauce au saumon et couvrir de deux autres lasagnes. Répéter, puis couvrir de mozzarella.

Cuire au four de 35 à 40 minutes, jusqu'à ce que les lasagnes soient tendres.

Retirer du four, laisser tiédir, puis refroidir au réfrigérateur.

Couvrir le plat d'une pellicule plastique et de papier d'aluminium. Placer au congélateur.

La veille du repas, laisser décongeler la lasagne au réfrigérateur.

Au moment du repas, retirer le papier d'aluminium et la pellicule plastique du plat. Réchauffer la lasagne au four ou au micro-ondes.

PAR PORTION	
Calories	749
Protéines	43 g
Matières grasses	46 g
Glucides	38 g
Fibres	2 g
Fer	1 mg
Calcium	316 mg
Sodium	386 mg

Idée pour accompagner

Salade fraîcheur

Dans un saladier, fouetter 60 ml (¼ de tasse) d'huile d'olive avec 15 ml (1 c. à soupe) de jus de citron et 15 ml (1 c. à soupe) de persil haché. Saler et poivrer. Ajouter 16 tomates cerises jaunes coupées en deux, ½ oignon rouge émincé et 500 ml (2 tasses) de mesclun. Remuer.

**Orecchiettes
de blé entier**
ou autres pâtes courtes
500 ml (2 tasses)

①

Poireaux
3 blancs émincés

②

Chorizo
coupé en dés
80 g (environ 2 ¾ oz)

③

Ricotta
220 g (environ ½ lb)

④

Pacanes
hachées
45 ml (3 c. à soupe)

⑤

PRÉVOIR AUSSI :
➤ 1 **oignon**
haché
➤ 1 **œuf**

FACULTATIF :
➤ **Ail**
2 gousses hachées

Gratin de pâtes aux poireaux, chorizo et ricotta

Préparation : **15 minutes** • Cuisson : **30 minutes** • Quantité : **6 portions**

Préparation

Dans une casserole d'eau bouillante salée, cuire les pâtes *al dente*. Égoutter en prenant soin de réserver environ 250 ml (1 tasse) d'eau de cuisson.

Dans une poêle antiadhésive, chauffer un peu d'huile d'olive à feu moyen. Cuire les blancs de poireaux, le chorizo, l'oignon et, si désiré, l'ail 5 minutes.

Ajouter 80 ml (⅓ de tasse) d'eau de cuisson des pâtes et poursuivre la cuisson 5 minutes, jusqu'à ce que les poireaux soient tendres.

Saler et poivrer. Ajouter les pâtes et remuer.

Verser la préparation dans un plat de cuisson de 30 cm x 20 cm (12 po x 8 po). Laisser tiédir, puis refroidir au réfrigérateur.

Dans un petit bol, mélanger la ricotta avec l'œuf. Verser sur les pâtes, puis parsemer de pacanes.

Couvrir le plat d'une pellicule plastique et de papier d'aluminium. Placer au congélateur.

La veille du repas, laisser décongeler le gratin au réfrigérateur.

Au moment de la cuisson, préchauffer le four à 180 °C (350 °F).

Retirer le papier d'aluminium et la pellicule plastique du plat. Cuire au four 30 minutes, jusqu'à ce que la préparation soit dorée.

PAR PORTION	
Calories	355
Protéines	16 g
Matières grasses	17 g
Glucides	39 g
Fibres	6 g
Fer	3 mg
Calcium	132 mg
Sodium	295 mg

À découvrir

Les orecchiettes

Jamais entendu parler des orecchiettes ? Il s'agit de petites pâtes qui font penser à des coquilles. Comme elles ressemblent à de petites oreilles et qu'elles sont originaires de l'Italie – en italien, oreille se dit *orecchio* – ces pâtes se nomment orecchiettes pour « petites oreilles ». Idéales dans les gratins ou simplement pour savourer avec une sauce onctueuse, les orecchiettes apportent à l'assiette une touche italienne bien rigolote !

1 chou-fleur ①
coupé en petits
bouquets

Beurre ②
60 ml (¼ de tasse)

Lait 2 % ③
625 ml (2 ½ tasses)

**Mélange de crevettes
et pétoncles surgelés** ④
décongelés
2 sacs de 340 g chacun

Mozzarella ⑤
râpée
250 ml (1 tasse)

PRÉVOIR AUSSI :
➤ **1 oignon**
haché
➤ **Farine**
80 ml (⅓ de tasse)

FACULTATIF :
➤ **Ciboulette**
hachée
45 ml (3 c. à soupe)

Gratin de crevettes, pétoncles et chou-fleur

Préparation : **15 minutes** • Cuisson : **5 minutes** • Quantité : **4 portions**

Préparation

Dans une casserole d'eau bouillante salée, cuire le chou-fleur 4 minutes. Rafraîchir sous l'eau froide et égoutter.

Dans la même casserole, faire fondre le beurre à feu moyen. Saisir l'oignon 1 minute.

Incorporer la farine et cuire 1 minute en remuant, sans laisser colorer.

Verser le lait et remuer. Chauffer jusqu'aux premiers frémissements en fouettant.

Ajouter les fruits de mer, le chou-fleur et, si désiré, la ciboulette. Saler et poivrer. Chauffer à feu moyen de 2 à 3 minutes.

Dans un plat de cuisson ou dans quatre ramequins, verser la préparation. Laisser tiédir, puis refroidir au réfrigérateur.

Parsemer la préparation aux fruits de mer de mozzarella.

Couvrir le plat d'une pellicule plastique et de papier d'aluminium. Placer au congélateur.

La veille du repas, laisser décongeler le gratin au réfrigérateur.

Au moment du repas, retirer le papier d'aluminium et la pellicule plastique du plat. Faire gratiner le gratin au centre du four de 3 à 5 minutes à la position « gril » (*broil*).

PAR PORTION	
Calories	455
Protéines	37 g
Matières grasses	24 g
Glucides	29 g
Fibres	4 g
Fer	1 mg
Calcium	449 mg
Sodium	1 193 mg

Idée pour accompagner

Farfalles au persil et citron

Dans une casserole d'eau bouillante salée, cuire 1 litre (4 tasses) de farfalles *al dente*. Égoutter. Dans une poêle, chauffer 45 ml (3 c. à soupe) d'huile d'olive à feu moyen. Cuire 5 ml (1 c. à thé) d'ail haché avec 30 ml (2 c. à soupe) de persil haché et 15 ml (1 c. à soupe) de zestes de citron 2 minutes. Incorporer les pâtes. Saler et poivrer.

Cheddar ①
râpé
500 ml (2 tasses)

Épinards hachés surgelés ②
décongelés et égouttés
1 paquet de 500 g

Poulet ③
cuit et effiloché
750 ml (3 tasses)

6 lasagnes fraîches ④

Sauce tomate ⑤
500 ml (2 tasses)

FACULTATIF :
➤ **Ail**
2 gousses grossièrement hachées

➤ **Parmesan**
râpé
60 ml (¼ de tasse)

PRÉVOIR AUSSI :
➤ 1 **œuf**

Cannellonis au poulet

Préparation : **15 minutes** • Cuisson : **20 minutes** • Quantité : **6 portions**

Préparation

Dans le contenant du robot culinaire, déposer la moitié du cheddar, les épinards, l'œuf et, si désiré, l'ail et le parmesan. Mélanger jusqu'à l'obtention d'une préparation homogène.

Transférer la préparation au cheddar dans un grand bol et incorporer le poulet. Remuer.

Préchauffer le four à 180 °C (350 °F).

Couper les lasagnes en deux afin d'obtenir 12 rectangles.

Déposer 80 ml (⅓ de tasse) de farce au bas de chacune des lasagnes et rouler.

Dans une casserole, chauffer la sauce tomate jusqu'aux premiers bouillons.

Couvrir le fond d'un plat rectangulaire de 33 cm x 23 cm (13 po x 9 po) avec le tiers de la sauce. Déposer les cannellonis côte à côte dans le plat, joint vers le bas. Napper avec le reste de la sauce et parsemer du reste du cheddar.

Cuire au four de 20 à 25 minutes.

Retirer du four, laisser tiédir, puis refroidir au réfrigérateur.

Couvrir le plat d'une pellicule plastique et de papier d'aluminium. Placer au congélateur.

La veille du repas, laisser décongeler les cannellonis au réfrigérateur.

Au moment du repas, retirer le papier d'aluminium et la pellicule plastique du plat. Réchauffer les cannellonis au four ou au micro-ondes.

PAR PORTION	
Calories	524
Protéines	45 g
Matières grasses	19 g
Glucides	44 g
Fibres	6 g
Fer	4 mg
Calcium	501 mg
Sodium	931 mg

À découvrir

L'épinard, un superaliment !

Cousin de la bette à carde, l'épinard est particulièrement riche en vitamines A et B9 (acide folique) ainsi qu'en minéraux (fer, magnésium). Bien qu'il ne contienne pas autant de fer que certains l'ont longtemps cru, ce légume-feuille à la saveur légèrement piquante contient une quantité appréciable de composés antioxydants, dont la lutéine et la zéaxanthine. En plus d'être bénéfiques pour la santé oculaire, ces caroténoïdes aideraient à prévenir certains types de cancers. À portion égale, les épinards cuits fournissent d'ailleurs environ six fois plus de lutéine et de zéaxanthine que les épinards crus.

Bœuf haché ①
mi-maigre
450 g (1 lb)

Assaisonnements à tacos ②
1 sachet de 39 g

3 tomates ③
coupées en dés

Haricots noirs ④
rincés et égouttés
1 boîte de 540 ml

Mélange de légumes surgelés pour chili ⑤
500 ml (2 tasses)

PRÉVOIR AUSSI :

➤ **Riz**
cuit
1 litre (4 tasses)

➤ **Coriandre**
hachée
45 ml (3 c. à soupe)

FACULTATIF :

➤ **1 courgette**
coupée en dés

➤ **Mélange de fromages râpés**
de type tex-mex
500 ml (2 tasses)

Casserole de bœuf style tacos

Préparation : **15 minutes** • Cuisson : **30 minutes** • Quantité : **de 4 à 6 portions**

Préparation

Dans une poêle, chauffer un peu d'huile d'olive à feu moyen. Cuire le bœuf haché de 4 à 5 minutes en égrainant la viande à l'aide d'une cuillère en bois.

Ajouter les assaisonnements à tacos et les tomates. Porter à ébullition.

Déposer la préparation au bœuf dans un bol. Ajouter les haricots, le mélange de légumes, le riz, la coriandre et, si désiré, la courgette. Saler, poivrer et remuer. Laisser tiédir, puis refroidir au réfrigérateur.

Beurrer un plat de cuisson carré de 20 cm (8 po), puis y transférer la préparation au bœuf. Égaliser la surface. Si désiré, parsemer de fromage.

Couvrir le plat d'une pellicule plastique et de papier d'aluminium. Placer au congélateur.

La veille du repas, laisser le gratin décongeler au réfrigérateur.

Au moment de la cuisson, préchauffer le four à 205 °C (400 °F).

Retirer le papier d'aluminium et la pellicule plastique du plat. Cuire au four de 30 à 35 minutes.

PAR PORTION	
Calories	560
Protéines	31 g
Matières grasses	23 g
Glucides	55 g
Fibres	6 g
Fer	3 mg
Calcium	64 mg
Sodium	722 mg

Option santé

Les légumineuses : des ajouts parfaits à vos recettes !

Les légumineuses ont tout pour elles ! En plus d'exister sous différentes formes, parmi lesquelles on compte les savoureux haricots noirs, et d'être économiques, elles sont source de protéines végétales, de fibres, de minéraux et de vitamines (fer, zinc et vitamines du complexe B), ce qui fait d'elles des superaliments sans pareils. Grâce à leur combinaison protéines-fibres, les légumineuses favorisent la satiété et aident à maintenir un bon niveau d'énergie jusqu'au prochain repas. Autres bonnes nouvelles à leur sujet : elles ont une faible teneur en gras et peuvent se conserver des mois sans perdre leur valeur nutritive.

Pizza maison toute garnie

Préparation : **15 minutes** • Cuisson : **20 minutes** • Quantité : **de 4 à 6 portions** (2 pizzas de 25 cm - 10 po chacune)

Préparation

Préchauffer le four à 205 °C (400 °F).

Diviser la pâte à pizza en deux boules. Sur une surface légèrement farinée, étirer chaque boule de pâte en un cercle de 25 cm (10 po) de diamètre.

Déposer les pâtes sur une ou deux plaques à pizza ou plaques de cuisson. Garnir les pâtes de sauce, de pepperoni, de poivron, d'oignon et, si désiré, de chorizo et d'olives. Couvrir de fromage.

Cuire au four de 20 à 25 minutes. Retirer du four et laisser tiédir, puis refroidir au réfrigérateur.

Emballer chacune des pizzas dans une pellicule plastique, puis dans une feuille de papier d'aluminium. Placer au congélateur.

La veille du repas, laisser décongeler les pizzas au réfrigérateur.

Au moment du repas, retirer le papier d'aluminium et la pellicule plastique. Réchauffer les pizzas au four ou au micro-ondes.

PAR PORTION	
Calories	491
Protéines	23 g
Matières grasses	25 g
Glucides	42 g
Fibres	3 g
Fer	4 mg
Calcium	315 mg
Sodium	1 228 mg

Idée pour accompagner

Frites assaisonnées cuites au four

Laver 5 pommes de terre et les couper en bâtonnets. Rincer sous l'eau froide, égoutter et éponger. Dans un bol, mélanger les bâtonnets avec 30 ml (2 c. à soupe) d'huile d'olive, 15 ml (1 c. à soupe) de thym haché et 5 ml (1 c. à thé) de piment d'Espelette. Saler. Déposer les bâtonnets sur une plaque de cuisson tapissée de papier parchemin, sans les superposer. Cuire au four de 20 à 25 minutes à 205 °C (400 °F).

Pâte à pizza ❶
1 boule de 450 g (1 lb)

Sauce à pizza ❷
160 ml (⅔ de tasse)

Pepperoni ❸
(ou salami)
tranché
100 g (3 ½ oz)

1 poivron vert ❹
émincé

Cheddar ❺
râpé
500 ml (2 tasses)

FACULTATIF :
➤ **Chorizo**
tranché
50 g (1 ¾ oz)

PRÉVOIR AUSSI :
➤ **1 oignon**
émincé

➤ **Olives noires**
80 ml (⅓ de tasse)

Gratin de poulet haché aux légumes

Préparation : **15 minutes** • Cuisson : **27 minutes** • Quantité : **4 portions**

Préparation

Dans une poêle, chauffer un peu d'huile d'olive à feu moyen. Cuire le poulet avec le bouillon de poulet concentré en remuant. Poivrer.

Ajouter le mélange de légumes et laisser mijoter 10 minutes, jusqu'à ce que le poulet ait perdu sa teinte rosée.

Ajouter la soupe aux tomates, le riz et, si désiré, le cari. Remuer. Laisser mijoter de 2 à 3 minutes.

Transférer la préparation dans un plat de cuisson. Laisser tiédir, puis refroidir au réfrigérateur.

Parsemer la préparation de fromage. Couvrir le plat d'une pellicule plastique et de papier d'aluminium. Placer au congélateur.

La veille du repas, laisser décongeler au réfrigérateur.

Au moment de la cuisson, préchauffer le four à 205°C (400°F).

Retirer le papier d'aluminium et la pellicule plastique du plat. Cuire au four 15 minutes, jusqu'à ce que le fromage soit grillé.

PAR PORTION	
Calories	432
Protéines	33 g
Matières grasses	24 g
Glucides	35 g
Fibres	4 g
Fer	3 mg
Calcium	286 mg
Sodium	880 mg

Astuce 5•15

Bien choisir la viande hachée

Abordable et pratique, la viande hachée de bœuf, de porc et de poulet permet de composer une foule de mets. Si vous devez la faire revenir dans la poêle (pour une sauce ou des tacos, par exemple), optez pour la viande hachée ordinaire (30% M.G.) en prenant soin de bien l'égoutter une fois cuite pour retirer l'excédent de gras. Pour des burgers ou des boulettes, tournez-vous vers la mi-maigre (23% M.G.) ou la maigre (17% M.G.). Réservez l'extra-maigre (10% M.G.) pour des plats à cuire au four, comme les gratins ou les pains de viande. Pensez aussi à varier les sortes de viande hachée pour un peu de nouveauté!

Poulet haché ❶
maigre
450 g (1 lb)

Mélange de légumes surgelés de style italien ❷
500 ml (2 tasses)

Soupe aux tomates condensée ❸
réduite en sodium
1 boîte de 284 ml

Riz brun ❹
cuit
375 ml (1 ½ tasse)

Mozzarella ❺
légère 15%
râpée
250 ml (1 tasse)

PRÉVOIR AUSSI :
➤ **Bouillon de poulet concentré**
réduite en sodium
15 ml (1 c. à soupe)

FACULTATIF :
➤ **Cari**
15 ml (1 c. à soupe)

Index des recettes

Une réalisation de

Éditeur de

     Gabrielle